MEMOIRE LOCALE
GÉOGRAPHIQUE
ET
CHRONOLOGIQUE;

ACCOMPAGNÉE

DU CALCUL ECCLESIASTIQUE,
Et du Calendrier de JULES CÉSAR,
pour l'intelligence des anciens Auteurs.

Prix 24 sols.

A LILLE,
Chez ANDRÉ JOSEPH PANCKOUCKE.

ET SE VEND A PARIS,
Chez DAVID l'aîné, rue St Jacques, à la Plume d'or.

M. DCC. XLVIII.
Avec Approbation & Privilege du Roy.

AVIS.

La Géographie est une de ces connoissances qu'il est honteux d'ignorer. Rien même ne fait plus d'honneur aux Dames que d'en avoir une Teinture qui puisse les mettre à portée de lire utilement les Gazettes & les Journaux historiques. C'est le moyen d'éviter le ridicule d'un jeune Cavalier, qui entendant lire une Tragédie, dont la Scene étoit à Constantinople ; dit avec surprise qu'il ne croyoit pas que la *Seine passât par cette Ville-là*, &c. La plûpart des Traités sur cette matiere sont si étendus, ou si peu méthodiques, qu'on a crû rendre service au Public en formant ce *Précis Géographique*, où l'on trouvera tout ce qui est necessaire pour lire utilement les Voyageurs & l'Histoire. Ce petit Traité contient, outre la division naturelle & politique des quatre Parties du monde, toutes les grandes notions générales qui servent de préliminaires à la Géographie ; le cours des rivieres, les Archevêchés, Evêchés & Universités de chaque Etat & Royaume, & la division la plus précise & la plus exacte des Provinces.

Il est suivi des Epoques principales & essentielles de la Chronologie, tant ancienne que moderne, qui fixent les principaux points de l'Histoire. On l'a terminé par le Comput ou Calcul Ecclesiastique, où l'on a inseré le Calendrier Romain, si necessaire pour l'intelligence des anciens Auteurs, & de la Chancellerie Romaine.

FAUTES A CORRIGER.

Page 66. ligne 3. *Pag.* 394. *lis. pag.* 46.
Pap. 109. & 116. regardés les N°. comme nuls.
Pag. 108. lig. 7. effacés *Baldavia*.

LA GEOGRAPHIE.

LA Terre se divise en deux Continens, (*à Continuo*) dont le premier que l'on appelle l'*Ancien Monde* renferme trois parties, sçavoir l'Asie, l'Afrique & l'Europe : le second Continent que l'on appelle le *Nouveau Monde*, à cause de sa nouvelle découverte, porte le nom d'Amérique.

Termes usités en Geographie.

Isle, (*quasi in salo*) espace de terre entouré d'eau de tous côtés.

Presqu'Isle, Peninsule, (*pene-insula*) espace de terre entouré d'eau, excepté d'un seul côté par lequel elle est jointe à une autre terre.

Archipel, amas de plusieurs Isles.

Isthme, Langue de terre qui joint une presqu'Isle à un Continent.

Cap, Promontoire, (*quasi mons in mare prominens*) espece de montagne qui s'avance vers la mer.

Détroit, *Pas*, *Phare*, *Bosphore*, (*Fre-*

tum quod ferveat mare propter angustiam) portion de mer serrée entre deux terres.

Golfe, (*sinus*, *situs sur mare complectens*) vaste portion de mer qui s'enfonce dans les terres.

Baye, petit Golfe où les vaisseaux sont à l'abri des vents.

Port, lieu de retraite pour les vaisseaux.

Havre, Port artificiel.

Mer ou *Ocean*, assemblage d'eau salée qui environne les deux Continens, & qui porte différens noms suivant la position des différentes parties qu'elle arrose.

Greve, partie de terre ou sable que la mer couvre & découvre par son flux & reflux.

Dunes, élevations de sable amoncelé sur le bord de la mer.

Bancs, *Basses*, *Sirtes*, *Ecueils*, *Brisans*, roches ou sables amoncelés sous l'eau, très-dangereux pour les vaisseaux.

Fleuve, (*Fluvius à fluo*) grand courant d'eau qui porte son nom jusqu'à la mer.

Riviere, moindre courant d'eau.

Canal, riviere artificielle.

La droite d'un Fleuve se prend par

celle de celui qui le descend ; le Louvre à Paris est à la droite de la Seine, les Invalides à la gauche.

Le dessus d'un Fleuve se prend de la proximité de sa source, Paris est au-dessus de Saint-Germain.

L'embouchure d'un Fleuve ou d'une Riviere, est l'endroit où l'un & l'autre perd son nom.

On étudie la Geographie en se servant de Globes & de Cartes.

La *Mappemonde*, comme une nape du monde, représente deux hémisphéres.

Les Cartes *Hydrographiques* donnent la description des eaux & des isles.

Les Cartes *Chorographiques* représentent un Roiaume ou une Province.

Les Cartes *Topographiques* représentent une Ville, ou quelque territoire particulier.

LE Globe que nous habitons est un corps rond, enveloppé & suspendu dans les airs, composé d'eau & de terre, ayant des feux souterrains répandus çà & là dans son interieur, le domicile commun des hommes & des animaux.

Sa rondeur est attestée par sa seule

& unique superficie qui ne forme point d'angle ; par les voyageurs qui allant d'Orient en Occident, ou du Septentrion au Midi, perdent & apperçoivent de nouvelles étoiles ; ou par un vaisseau qui s'éloigne du Port qui commence à perdre de vûe le bas des Tours, puis la pointe, enfin devant qui tout disparoît.

Les inégalités de sa superficie, les plus hautes montagnes, sont les effets de la sagesse du Créateur, & les bienfaits de sa providence, qui ne peuvent empêcher qu'on ne dise qu'elle soit ronde ; les plus hautes montagnes n'ont pas deux lieues, & ne font pas sur la terre une plus grande inégalité que la tête d'une épingle sur une boule de vingt pieds de diamétre.

La circonférence de la terre est estimée 9000 lieues, ou 360 degrés de 25 lieues ; le diamétre 2863 $\frac{7}{11}$, le rayon 1431 $\frac{9}{11}$; sa superficie 25, 772, 727 $\frac{3}{11}$ lieues quarrées.

Si on suppose que les eaux couvrent la moitié de la surface, il restera pour la terre 12, 886, 363 $\frac{7}{11}$.

La solidité du globe en lieues cubiques est de 12, 300, 619, 834 $\frac{86}{121}$ l. cub.

Nous avons des relations sûres de plusieurs voyageurs qui ont fait le tour du monde; depuis *Ferdinand Magellan* Portugais, qui le fit en 1124 jours, l'an 1519, *François Drack* Anglois le fit en 1557 dans l'espace de 1056 jours. *Simon Cordes* de Roterdam l'an 1590, & *Olivier Noort* Hollandois en 1598 firent le même voyage en 1077 jours. *Guillaume Schouten* le fit l'an 1615 en 749 jours. Voyez encore les voyages de *Dampier*, *de Gemelli Careri*, *de Gentil*, &c.

L'histoire & l'expérience nous apprennent que la superficie de la terre est sujette à plusieurs changemens; quelques lieux s'enfoncent pour faire place à de nouveaux Golfes & à de nouveaux Lacs; d'autres s'élevent & forment de nouvelles Isles. Les tremblemens de terre bouleversent & abîment quantité de Villes. L'Amérique est plus sujette que les autres parties du monde à ces terribles ravages. Le 29 Octobre 1746. la Ville de Lima a été ensevelie sous ses ruines, il y a péri 1080 personnes, tout le peuple s'étoit refugié à trois ou quatre lieues dans les terres.

De l'Europe.

L'Europe a au Nord la mer Glaciale, au Sud la Méditerranée, à l'Est l'Asie, à l'Ouest l'Ocean Atlantique. Sa longueur est de 825 lieues, à compter du Nord-Cap en Norvege jusqu'au Cap-Matapan en Morée. Sa plus grande largeur est de 775 en la prenant d'Occident en Orient, depuis le Cap-Saint-Vincent en Portugal jusqu'à Constantinople.

L'Europe se divise en huit parties principales, qui se prennent du Nord au Sud en cet ordre.

Au Nord. Les Couronnes du Nord.	1	La Suede, *Stokolm.*
		Dannemarc, *Copenhague.*
		Norvege, *Christianstat.*
Au milieu.	2	La France, *Paris.*
	3	L'Allemagne, *Vienne.*
	4	La Pologne, *Varsovie.*
	5	La Moscovie, *Moscou.*
Au midi.	6	L'Espagne, *Madrid.*
	7	L'Italie, *Rome.*
	8	La Turquie d'Eur. *Const.*

On y joint les Isles, dont les principales sont les Isles Britanniques.

Division politique.

L'Europe a un Prince Ecclesiastique, (le Pape.)

3 Empereurs.
- D'Allemagne,
- De Turquie, dit *Grand Seigneur*,
- De Moscovie, dit *Czar.*

14 Rois.
- De France,
- D'Espagne,
- De Portugal, *Lisbonne.*
- De Suede,
- De Dannemarc,
- D'Angleterre.
- De Prusse, *Berlin.*
- De Naples, *Naples.*
- De Sardaigne, *Turin.*

Les Royaumes de Boheme & de Hongrie sont à la Maison d'Autriche.

Celui de Norvege au Roy de Danemarc.

Ceux d'Ecosse & d'Irlande au Roy d'Angleterre.

5 Républiques principales.
- Les Prov. Unies, *Amst.*
- Venise,
- Genes,
- Les Suisses, *Bâle.*
- Les Grisons, *Coire.*

4 Républiques inférieures.	Raguse,
	Geneve,
	Lucques,
	Saint-Marin dans le Duché d'Urbin.

De l'Asie.

L'Asie est bornée au N. par l'Océan Glacial, au S. par la Mer des Indes; à l'E. par la Mer de la Chine; à l'O. par la Mer Rouge, la Méditerranée & la Mer de Marmora. Elle se divise naturellement en six parties;

1°. La Gr. Tartarie, *Samarcande.*
2°. Turquie d'Asie, *Alep.*
3°. La Perse, *Ispahan.*
4°. Le Mogol, *Agra.*
5°. La Chine, *Pekin.*
6°. Les Isles.

Division politique.

La Turquie d'Asie appartient au Grand Seigneur, la Perse au Sophi de Perse, le Mogol à l'Empereur du Mogol, la Chine à l'Empereur de la Chine; la grande Tartarie est divisée comme les Isles entre plusieurs Puissances.

De l'Afrique.

L'Afrique est une Presqu'isle tenant à l'Asie par l'Isthme de Suez; elle se divise naturellement en huit parties :

1 L'Egypte, *le Caire.*
2 La Barbarie, *Fez.*
3 La Biledulgerid, *Dara.*
4 Le Zaara ou Desert, *Zuenziga.*
5 La Nigritie, *Tombut.*
6 La Guinée, *Ardra.*
7 La Nubie *Dangala.*
8 L'Ethiopie { intér. ou Abyssinie. / extér. *Monomotapa.*

Division politique.

La Barbarie comprend des Républiques & Royaumes ; Tripoli & Tunis ont un Déy qui préside., Alger est sous la protection du Turc : Fez & Maroc ont un Roi.

L'Egypte est au Turc qui y envoye tous les trois ans un Bacha.

La Nubie a un Empereur qu'on appelle le Grand Négus,

Au reste l'intérieur de l'Afrique n'est point connu ; les Européens possedent plusieurs Places sur ses côtes.

De l'Amérique.

L'Amérique, qui consiste en deux grandes Peninsules situées dans l'Océan Atlantique, comprend dans la partie Septentrionale, sept parties.

1°. Le Mexique ou nouvelle Espagne, au Sud. *Mexico.*

2°. Le nouveau Mexique, au Nord. *Santa Fez.*

3°. La Floride au S.

4°. Le Canada à l'Orient. *Quebec.*

5°. La Louisiane à l'Occident. *Fort-Louis.*

6°. Terre de Labrador, au Nord.

7°. La nouvelle Angleterre. *Boston.*

Division politique.

Les deux premieres parties, & partie de la Floride, appartiennent aux Espagnols ; les deux suivantes aux François : le Lebrador aux naturels du Pays, & la derniere aux Anglois.

Amérique Méridionale.

L'Amerique Méridionale se divise aussi en sept parties.

1°. Terre ferme au Nord *Santa Fez de Bagota.*

2°. Perou au Sud à l'Orient. *Lima.*

3°. Chili. *San Jago.*

4°. Terres Magellaniques.

5°. Remontant vers le Nord la Province de Rio de la Plata. *Buenos Ayres.*

6°. Le Brésil à l'Orient. *S. Salvator.*

7°. Le Pays des Amazones dans l'intérieur des Terres.

Division politique.

Les quatre premieres & partie de la cinquiéme, appartiennent aux Espagnols ; le Paraguai dans la cinquiéme est gouverné par les Jésuites, le Brésil est aux Portugais, & le Pays des Amazones aux anciens Habitans.

De l'Océan & de sa division.

L'Océan baigne les deux Continens, & se divise, 1°. en Septentrional, Méridional, Oriental & Occidental.

L'Océan Septentrional ou Glacial de l'Europe & de l'Asie, forme la mer Blanche, la mer de Moscovie, de Tartarie.

L'Océan Atlantique, ou Occidental, forme la mer Baltique, la mer d'Allemagne, la Manche, la mer d'Espagne, & cotoyant l'Afrique, la mer des Canaries, du

Capverd, la mer de Guinée.

L'Océan Æthiopien & Méridional forme la mer des Cafres, de Zanguebar.

L'Océan Oriental ou Indien, forme la mer de l'Arabie, de la Perse, de l'Inde, de la Chine, du Japon, &c.

L'Océan qui baigne l'Amérique, porte le nom de mer du Nord & du Sud.

La mer du Nord comprend celle du Canada, du Brésil.

Celle du Sud comprend celle du Mexique, du Perou, du Chili, la mer Magellanique.

Elle prend aussi le nom de mer Pacifique à cause de ses bonaces.

Des Golfes portant le nom de Mer.

Les Golfes suivans portent le nom de mer à cause de leur étendue.

Europe. La mer Méditerranée.

La mer Noire, ou le Pont Euxin.

La mer Blanche, partie de l'Océan Septentrional qui entre dans la Russie.

La

La mer Baltique qui baigne la Suéde, le Danemarc, l'Allemagne & la Pologne.

La mer Rouge ou mer de la Mecque, ou golfe Arabique en Afrique.

La mer ou golfe de Mexique en Amérique.

Détroits fameux.

Europe.
Détroit de Gibraltar.
Du Sund.
La Manche.
Le Pas de Calais.
Phare de Messine.
Bosphore de Trace.

Asie.
Détroit de Babelmandel.

Amér.
De Davis.
Détroit de Hudson.
De Magellan.

Lacs fameux.

Lac Ladoga & Onega en Moscovie.

Lac de Genêve, entre la Suisse & la Savoye.

B

Lac de Conſtance ſur les frontieres d'Allemagne.

Le lac Majeur, & le lac de Côme, en Italie.

La mer Caſpienne en Aſie.

Le lac Supérieur & pluſieurs autres dans l'Amérique Septentrionale.

Iſthmes fameux.

Europe. L'Iſthme de Corinthe qui joint la Morée à la Turquie.

L'Iſthme d'Or ou de Précop, qui joint la Crimée à toute la petite Tartarie.

Afr. L'Iſthme de Suez qui unit l'Aſie à l'Afrique.

Aſie. L'Iſthme de Tenacerim, qui attache la preſqu'Iſle de Malaca, au reſte de la preſqu'Iſle de l'Inde au delà du Gange.

Amer. L'Iſthme de Panama qui unit les deux Amériques.

Caps fameux.

Eur. Nord Cap.

Cap Matapan, en Morée.

Europe.

Cap Finisterre, en Espagne.

Cap de Roca.

Cap S. Vincent, en Portugal.

Asie.

Cap Ningpo, à la Chine.

Cap Comorin, dans la Peninsule en deçà du Gange.

Cap Rasalgate, en Arabie.

Afrique.

Le Cap Bon.

Le Cap Verd.

Le Cap de Bonne-Espérance.

Le Cap de Guardafui.

Amérique.

Le Cap Charles, en Canada.

Le Cap S. Augustin, dans le Brésil.

Le Cap Frward, dans la Terre Magellanique.

Le Cap de Corrientes, dans la Nouvelle Espagne.

Montagnes célébres.

Europe.

Les Pyrenées qui séparent la France de l'Espagne.

Les Alpes qui bornent l'Italie, du côté de la France, de la Suisse & de l'Allemagne.

Les Monts Crapack qui divisent la Pologne de la Hongrie.

Les Monts Costegnas ou de Balkan, qui séparent la Turquie d'Europe, en Septentrionale & Méridionale.

Europe.

Les Montagnes de Daarefield ou Offrines, qui séparent la Suéde & la Norvege.

L'Apennin, qui commence aux Alpes près de Nice, & qui traverse l'Italie dans toute sa longueur.

Les Montagnes qui vomissent feux & flammes, sont le Mont Hecla en Islande, le Mont Vesuve près de Naples, & le Mont Gibel ou l'Ætna en Sicile.

Asie.

Le Taurus dans la Turquie.

Le Caucase, entre la mer Noire & la mer Caspienne.

Les Montagnes qui séparent la Chine de la Tartarie.

Afrique.

L'Atlas qui s'étend l'espace de 1000 lieues, depuis l'Océan Atlantique jusqu'en Egypte, & qui sépare la Barbarie du Zaara.

Les Montagnes de la Lune sur les confins du Monomotapa.

Afrique. Le Pic de Teneriffe dans l'Isle de ce nom.

Amerique. Montagnes d'Apalaché, entre la Nouvelle France & la Floride dans l'Amérique Septentrionale.

Les Andes ou Cordelieres, qui traversent l'Amérique Méridionale du Nord au Sud, & qui divisent le Pérou & le Chili du Pays des Amazones.

Division des Isles principales

Isles de l'Europe.

1°. Isles de l'Océan. { Isles Britanniques. } *Angleterre. & Ecosse. Irlande.*

{ Des Terres Arctiques. } *L'Islande. Le Spitberg.*

2°. Isles de la mer Baltique. { *Zelande Copenhague. Fionie, Odensée. Gotland, Wisbi.*

3°. Isles de la Méditerranée. { *La Sicile. L'Isle de Malthe, La Sardaigne. L'Isle de Corse. Majorque. Minorque, Port Mahon. Ivica.*

4°. Isles de l'Archipel. { *Candie.* *Negrepont.*

5°. Isles de la mer Yonienne, ou du golfe de Venise. { *Corfou.* *Ste. Maure.* *Cefalonie.*

Isles d'Asie.

Dans l'Océan.

1°. Isle du Japon. *Meaco.*

2° Isles de la Sonde. { *Java. Batavia.* *Sumatra.* *Borneo.*

3°. Isles Philippines.
Nouvelles Philippines.

4°. Isles Marianes, ou Isles des Larrons.

5°. Isles Moluques, ou de l'Epicerie. { *Amboine.* *Banda.* *Macassar.*

6°. Isles de Ceylan. *Candea.*

7°. Isles Maldives. *Malé.*

Dans la Méditerranée.

8°. Isle de Chypre. *Famagouste.*
L'Isle de Rhodes.

9°. Isles de l'Archipel. *Metelin.*

Isles d'Afrique.

1°. Isle Madere. *Fonchal.*
2°. Isles Canaries.
3°. Isles du Cap Verd.
4°. Isle S. Thomas.
5°. Isle Ste. Héléne.
6°. Isle de Madagascar. *Fort Dauphin.*
7°. Isles Françoises. } *Bourbon & Maurice.*
8°. Isle de Zocotora.

Isles d'Amérique.

Dans la partie Septentrionale.

1°. Isles de Terre Neuve.
2°. Les Grandes & Petites Antilles, & Isles Lucayes. { *Les Grandes Antilles. Cuba. La Havane. S. Domingue, Cap Fr. La Jamaïque. Porto-Ricco.*
3°. Les Açores. *Angra.*

Dans la partie Méridionale.

Les Isles Magellaniques ou Terre de Feu.

Fleuves & Rivieres considérables des quatre parties de la Terre.

Dans les Isles Britanniques.

En Angleterre.
- *La Tamise.*
- *La Saverne.*
- *L'humber.*
- *La Twede.*

En Ecosse.
- *Le Tay.*
- *La Clyde.*
- *Le Spey.*
- *Le Dée.*

En Irlande.
- *Le Shannon.*
- *Le Lée.*
- *Le Blackwater.*

En Suede.
- *Le Torno.*
- *Le Kimi.*

En Espagne.
- *Le Tage.*
- *Le Guadalquivir.*
- *Le Guadiana.*
- *Le Minho.*
- *Le Douro.*

Embouchure dans l'Océan.

- *L'Ebre*, tombe dans la Méditerranée.

En France.
- *La Seine* qui tombe dans la Manche.
- *La Loire*, *La Garonne*. Dans l'Océan.
- *Le Rhône*, dans la Médit.

En Allemagne.
- *Le Rhin*, *L'Elbe*, *Le Weser*, *La Meuse*, *L'Ems*. Dans la mer d'Allemagne.
- *L'Oder*, dans la mer Balt.

Le Danube, dans la mer Noire.

En Pologne.
- *La Vistule*, qui reçoit *le Bug*, *Le Niemen*. Dans la mer Balt.
- *Le Nieper* ou *Boristhenes*, *Le Niester*. Dans la mer Noire.

En Moscovie.
- *La Dwina*, dans la mer Blanche.
- *Le Don*, dans la mer d'Asof.

En Italie.
- *La Duna*, dans la mer Balt.
- *Le Tibre*, *L'Arno*. Dans la Méditerranée.
- *Le Volturno*.
- *Le Pô*, *L'Adige*. Dans le Golfe de Venise.

En Hongrie. { *Le Danube*, *Le Niester*, ou *Tyras*, *Le Nieper*. } Dans la mer Noire.

Rivieres d'Asie.

Quatre Fleuves arrosent la Siberie, qui est au Nord de la grande Tartarie.

L'Irtis, l'Obi, le Jenissea, & le Lena.

Les deux premiers ayant mêlé leurs eaux, se rendent dans la Mer Glaciale, où se jettent aussi le Jenissea & le Lena.

La grande Tartarie est arrosée du Wolga, qui a sa source dans la Russie Européenne, & qui se perd après un très-long cours dans la Mer Caspienne.

L'Amour coule du Couchant au Levant, & se perd dans la Mer de Kamtzaharka.

L'Euphrate & le Tibre ont leurs sources dans les montagnes d'Armenie, & après s'être joints près de Bassora, se perdent dans le Golfe Persique.

L'Inde arrose la partie Occidentale

du Pays auquel il donne son nom, & tombe dans la Mer des Indes.

Le Gange, après avoir arrosé le milieu de l'Inde, se jette dans le Golfe de Bengale.

Rivieres d'Afrique.

Le Nil coule du Sud au Nord; & se décharge dans la Méditerranée.

Le Niger coule de l'Est à l'Ouest, se partage en trois branches; la plus septentrionale, s'appelle le Sénégal; celle du milieu, riviere de Gambie; la plus méridionale, Rio grande.

Rivieres de l'Amerique.

L'Amerique septentrionale a la riviere du Canada ou de S. Laurent, qui se perd dans la mer du Nord.

Le Mississipi a son embouchure dans le Golfe de Mexique.

L'Amerique méridionale a trois principales rivieres, qui se perdent toutes trois dans la mer du Nord: L'Orenoque, la riviere des Amazones, Rio de la Plata, ou riviere d'Argent.

Des différens Gouvernemens.

On distingue quatre sortes de Gouvernemens ; le Monarchique, le Despotique, l'Aristocratique & le Démocratique.

Le Monarchique est lorsqu'une seule personne gouverne à l'aide de plusieurs Conseils qu'elle établit, comme en France, en Espagne.

Le Gouvernement est despotique, quand le Souverain ne consulte que sa seule volonté, comme en Turquie & en Moscovie.

Le Gouvernement Aristocratique est celui où les Nobles ont toute l'autorité, comme à Venise.

Le Démocratique est celui où l'autorité est entre les mains du Peuple, comme à Geneve.

Il y a des Etats où ces différentes especes de Gouvernemens sont mélangées, en Pologne la Monarchie & l'Aristocratie sont mêlées ensemble ; en Suede le Gouvernement est Monarchique & Aristo-Démocratique ; le Roi ne peut rien conclure d'important sans le consentement de tous les Ordres, & les Paisans en font un.

Des differentes Religions.

Les Peuples de l'Europe ont trois principales Religions ; la Chrêtienne, la Mahométane, & la Grecque.

La Chrêtienne est Catholique Romaine ou Protestante.

La Catholique Romaine est la seule permise en Italie, en Savoye, en Espagne, en Portugal, & en France.

Elle domine en Pologne, en Hongrie, en Autriche, en Baviere, en Franconie, dans les trois Electorats Ecclésiastiques, & dans sept Cantons Suisses.

La Protestante domine dans la Grande Bretagne, en Irlande, dans les Provinces-Unies, dans le Dannemarc, la Suede, les Cercles de Westphalie, de Haute & Basse Saxe, dans la Hesse, dans six Cantons Suisses, & à Geneve.

Elle a encore plusieurs Sectaires dans les autres Provinces d'Allemagne, en Pologne, & en Hongrie.

La Religion Mahométane domine dans tous les Etats du Turc, on y souffre les Chrêtiens & les Juifs, moyennant un tribut.

La Religion Schismatique Grecque est la seule de toute la Russie, ou Moscovie.

I. *Couronnes du Nord.*

SUEDE.

La Suéde a pour bornes au N. la mer Glaciale. Au S. la mer Baltique ; à l'E. la Moscovie, & à l'O. la Norwege.

Le Lutheranisme de la Confession d'Augsbourg, est la seule Religion que l'on professe en Suéde.

Les Etats de Suéde, après la mort de Charles XII. ont recouvré leur droit d'Election. Ils sont composés de quatre Corps, qui sont, 1°. la Noblesse, 2°. le Clergé, 3°. les Bourgeois, 4°. les Paysans, qui y envoyent leurs Députés, aussi bien que chaque Maison noble. Les Militaires, depuis le Colonel, jusqu'au Capitaine inclusivement, entrent aux Etats dans la Classe des Nobles.

Il n'y a point de Rivieres considérables en Suéde ; mais quantité de Lacs, dont les principaux sont ceux de Melen, de Waner & de Water.

Arch. *Upsal. Riga.*

Evêch. *Gottembourg. Strengnes.*

Wexio. Lunden. Lindkoping.

Scaren. Abo. Wibourg.

Univers. *Upsal. Abo.*

Ce Royaume se divise en sept parties.

La Suéde a cinq parties, qui sont :

I. La Laponie Suédoise. *Kola.*

II. La Bothnie. *Torno.*

III. Les Nordelles ou Provinces du Nord.

1. Gestricie. *Gevalie.*

2. Helsingie.

3. Medelpadie.

4. Angermanie. *Hernosand.*

5. Gemptie.

6. Harnedal.

IV. 1. Uplande. *Stokolm. Upsal.*

2. Sudermanie. *Nikoping.*

3. Nericie. *Orebro.*

4. Westmanie. *Arosen.*

5. Dalecarlie.

V. La Gothie comprend,

L'Ostrogothie qui a :

L'Ostrogothie propre, *Norkoping,* & Smaland. *Calmar.*

La Westrogothie : qui se divise en Westrogothie propre. *Gothembourg.*

Wermeland. *Carlstadt.*
& Dalie.

Le Sud-Gotland, se divise en Schone. *Lunden. Ystedt.*

Bleckingen. *Christianopel. Carlscron.*

& Halland. *Helmstadt.*

VI. La Finlande. Comprend :

1. La Finlande propre. *Abo.*
2. Le Niland. *Helsingfort.*
3. La Carelie. *Wiborg.*
4. La Cajanie. *Cajanebourg.*
5. L'Ingrie. *Oresch.*

VII. La Livonie. Comprend :

La Lethonie. *Riga.*

L'Esthonie. *Revel.*

La Livonie, partie de la Carelie & l'Ingrie ont été cédées au Czar par les derniers Traités de Paix.

LE DANEMARC.

Le Danemarc situé au Nord de l'Allemagne, se divise en Isles & en Continens, qui comprend la Presqu'Isle de Jutland, & la Norwege.

Le Luthéranisme est la Religion que l'on suit en Danemarc.

Le Gouvernement de Danemarc fut rendu Monarchique & héréditaire, même aux filles, au défaut des mâles, en 1660. par Frédéric III. qui força les Etats à se démettre de leur droit d'Election.

Arch. *Copenhague.*

Evêch. *Sleswick. Arhusen. Alborg. Rypen. Wiborg.*

II. *Isles du Danemarc.*

Zélande. *Copenhague. Cronebourg. Helsenour. Roskild.*

Fionie. *Odensée. Nyborg.*

Langeland. *Rudkoping.*

Laland. *Naxow.*

alster. *Nikoping.*

Bornholm. *Sandwick.*

Alsen.

Arroe.

Femeren. *Borch.*

Islande, près du cercle Polaire. *Skabolt. Le Mont Hecla.*

Les Isles de *Fero*, sont une dépendance de l'Islande.

2. Le Jutland. Comprend.

Le Nord Jutland { *Alborg. Wiborg. Arhusen. Rypen. Tonningen.*

Le Sud-Jutland, qui comprend

Le Duché de SLESWICK. *Sleswick.*

Flensbourg, au Duc d'Holstein Gottorp.

Le Duché d'Holstein. *Kiel.*

NORWEGE.

La Norwege, se divise en cinq Gouvernemens; sçavoir.

1. Wardhus, ou Laponie Danoise. *Wardhus.*

2. *Dronthem.*

3. *Bergen.*

4. Aggerus. *Obslo, ou Christiania. Fridericstad.*

5. Bahus. *Bahus.*

Arch. *Dronthem.*

Evêch. *Obslo. Bergen. Stavanger.*

II. LA FRANCE.

La France est bornée au N. par la Manche & les Pays-Bas, au S. par les Pyrenées, & la Mediterranée, à l'E. par l'Allemagne, les Suisses, & la Savoye, à l'O. par l'Ocean.

La Religion Romaine est la seule que l'on souffre en France.

Le Gouvernement de France est purement Monarchique; la Couronne est héréditaire seulement aux mâles, les femmes en étant exclues par la *Loi Salique*, qui adjuge la succession toute entiere à l'heritier mâle, le plus proche en ligne directe.

Archevêchés avec les Evêchés Suffragans.

PARIS. Cures 492. vaut 150000 liv.
Chartres. C. 810. vaut 25000 l.
Meaux. C. 210. vaut 22000 l.
Orleans. C. 212. vaut 24000 l.
Blois. C. 200. vaut 32000 l.

LYON. C. 764. vaut 40000 l.
Autun. C. 610. vaut 17000 l.
Langres. C. 600. vaut 30000 l.
Mâcon. C. 268. vaut 17000 l.
Châlon-sur-Saone, C. 207. vaut 14000 l.
Dijon. C. 211. vaut 18000 l.
S. Claude. C. 100. vaut 27000 l.

ROUEN. C. 1388. vaut 80000 l.
Bayeux. C. 611. vaut 60000 l.
Avranches. C. 180. vaut 15000 l.
Evreux. C. 485. vaut 20000 l.
Séez. C. 500. vaut 11000 l.
Lizieux. C. 580. vaut 40000 l.
Coutances. C. 450. vaut 22000 l.

SENS. C. 674. vaut 50000 l.
Troies. C. [illegible] vaut 10000 l.
Auxerre. C. 238. vaut 35000 l.

Neuers. C. [illegible]72. vaut 20000 l.

Les trois Evêchés suivans sont Suffragans de Treves.

Metz. C. 613. vaut 120000 l.
Toul. C. 1700. vaut 17000 l.
Verdun. C. 350. vaut 90000 l.
REIMS. C. 690. vaut 90000 l.
Soissons. C. 450. vaut 18000 l.
Châlons-sur-Marne. C. 306. vaut 24000 l.
Laon. C. 420. vaut 30000 l.
Senlis. C. 76. vaut 18000 l.
Beauvais. C. 592. vaut 55000 l.
Amiens. C. 776. vaut 30000 l.
Noyon. C. 740. vaut 25000 l.
Boulogne. C. 420. vaut 12000 l.
TOURS. C. 404. vaut 17000 l.
Le Mans. C. 770. vaut 25000 l.
Angers. C. 668. vaut 26000 l.
Rennes. C. 265. vaut 14000 l.
Nantes. C. 217. vaut 30000 l.
Quimpercorentin. C. 200. vaut 22000 l.
Vannes. C. 160. vaut 24000 l.
S. Pol de Leon. C. 120. vaut [illegible]
Treguier. C. 70. vaut 20000 l.
S. Brieux. C. 200. vaut 20000 l.
S. Malo. C. 260. vaut 35000 l.
Dol. C. 80. vaut 12000 l.
BOURGES. C. 800. vaut 30000 l.

Clermont. Cures 800. vaut 15000 liv.
Limoges. C. 900. vaut 20000 l.
Tulles. C. 70. vaut 12000 l.
Le Puy en Velay. C. 156. vaut 25000 l.
S. Flour. C. 270. vaut 12000 l.
ALBY. C. 327. vaut 60000 l.
Rhodez. C. 500. vaut 40000 l.
Castres. C. 100. vaut 30000 l.
Cahors. C. 482. vaut 45000 l.
Vabres. C. 150. vaut 20000 l.
Mende. C. 208. vaut 40000 l.
BORDEAUX. C. 400. vaut 45000 l.
Agen. C. 400. vaut 35000 l.
Angoulesme. C. 290. vaut 20000 l.
Saintes. C. 291. vaut 20000 l.
Poitiers. C. 722. vaut 22000 l.
Perigueux. C. 400. vaut 24000 l.
Condom. C. 140. vaut 50000 l.
Sarlat. C. 130. vaut 15000 l.
La Rochelle. C. 108. vaut 39000 l.
Luçon. C. 230. vaut 20000 l.
AUSCH. C. 372. vaut 90000 l.
Acqs. C. 196. vaut 14000 l.
Létoure. C. 79. vaut 18000 l.
Comminges. C. 200. vaut 28000 l.
Conserans. C. 82. vaut 24000 l.
Aire. C. [illegible]. vaut 30000 l.
Bazas. C. 150. vaut 18000 l.
Tarbes. C. 140. vaut 22000 l.
Oleron. C. 280. vaut 13000 l.

Lescar. C. 240. vaut 15000 liv.
Bayonne. C. 40. vaut 19000 l.
NARBONNE. C. 240. vaut 90000 l.
Beziers. C. 106. vaut 24000 l.
Agde. C. 19. vaut 30000 l.
Carcassonne. C. 96. vaut 35000 l.
Nismes. C. 90. vaut 26000 l.
Montpellier. C. 230. vaut 32000 l.
Lodeve. C. 48. vaut 22000 l.
Uzes. C. 281. vaut 25000 l.
S. Pons de Tomieres. C. 40. vaut 30000 l.
Aleth. C. 80. vaut 18000 l.
Alais. C. 85. vaut 16000 l.
Perpignan. C. 180. vaut 18000 l.
TOULOUSE. C. 250. vaut 60000 l.
Montauban. C. 98. vaut 25000 l.
Mirepoix. C. 60. vaut 24000 l.
Lavaur. C. 86. vaut 25000 l.
Rieux. C. 90. vaut 18000 l.
Lombez. C. 90. vaut 20000 l.
S. Papoul. C. 56. vaut 20000 l.
Pamiers. C. 100. vaut 25000 l.
ARLES. C. 51. vaut 33000 l.
Marseille. C. 29. vaut 30000 l.
S. Paul trois Chasteaux. C. 34. vaut 10000 l.
Toulon. C. 20. vaut 15000 l.
Orange. C. 19. vaut 10000 l.
AIX. C. 80. vaut 32000 l.

Apt. Cures 32. vaut 9000 liv.
Riez. C. 34. vaut 15000 l.
Fréjus. C. 67. vaut 28000 l.
Gap. C. 221. vaut 11000 l.
Sisteron. C. 50. vaut 15000 l.

VIENNE. C. 355. vaut 22000 l.

Il a pour Suffragans, hors du Royaume, les Evêchés de Genêve *&* *de* S. Jean de Maurienne.

Grenoble. C. 304. vaut 28000 l.
Viviers. C. 300. vaut 30000 l.
Valence. C. 140. vaut 16000 l.
Die. C. 70. vaut 15000 l.

EMBRUN. C. 121. vaut 22000 l.
Digne. C. 31. vaut 10000 l.
Grasse. C. 22. vaut 22000 l.
Vence. C. 23. vaut 7000 l.
Glandéve. C. 56. vaut 10000 l.
Senez. C. 32. vaut 10000 l.

BESANÇON. C. 838. vaut 36000 l.
Belley en Bugey. C. 221. vaut 10000 l.

Entre plusieurs Suffragans de Besançon, Belley est le seul dans le Royaume.

CAMBRAY. C. 598. vaut 100000 l.
Arras. C. 400. vaut 22000 l.
S. Omer. C. 112. vaut 40000 l.
Strasbourg, Suffragant de Mayence. C. 450. vaut 10000 l.

Universités.

Paris , Douay , Caën , Reims ; Pont-à-Mousson , Strasbourg , Besançon , Nantes , Angers , Orleans , Poitiers , Bourdeaux , Cahors , Bourges , Toulouse , Montpellier , Perpignan , Aix , Orange , Valence.

Rivieres de France.

La Seine a sa source dans la Bourgogne , traverse la Champagne , l'Isle de France & la Normandie , & va se perdre au Havre de Grace dans la Manche.

La Seine reçoit l'Aube , l'Yonne , la Marne , l'Oise & l'Eure.

La Loire a sa source dans le Vivarais , arrose le Velai , le Forêts , le Beaujolois , la Bourgogne , le Nivernois , l'Orleannois , la Touraine , l'Anjou & la Bretagne Méridionale ; puis elle se jette dans l'Océan.

La Loire reçoit l'Allier , le Cher , l'Indre , le Loir , la Sarte , & la Mayenne.

Le Rhône a sa source dans le haut-Velai , traverse le Lac de Genéve , sépare la Bresse , de la Savoye & du Dauphiné , descend à Lyon , coule droit

droit au Midi dans la Mediterranée, & borne le Dauphiné & la Provence.

Le Rhône reçoit la Saone, l'Isere & la Durance.

La Garonne sort des Pirenées, arrose le Cominge, partie du Languedoc, traverse la Guienne & se perd sous le nom de Gironde à la Tour de Cordouan dans l'Ocean.

Elle reçoit dans son cours le Tarn, le Lot, & la Dordogne.

Il y a encore la Somme, l'Orne, la Vilaine, la Charente, l'Adour & l'Aude.

Parlemens.

Les Parlemens sont des Cours Souveraines de Justice, où les procès sont jugés en dernier ressort.

Les douze Parlemens du Royaume sont ceux de Douai, pour la Flandre; de Rouen; de Paris, qui, outre l'Isle de France, est pour toutes les Provinces qui n'ont point de Parlement; de Metz, de Dijon, de Besançon, de Rennes, de Bordeaux qui s'étend sur la Saintonge & le Limosin, de Pau, de Toulouse, d'Aix & de Grenoble.

Conseils Souverains.

Colmar, pour l'Alsace.
Perpignan, pour le Roussillon.

Le Conseil superieur d'Artois. Arras.

L'ancienne France se divisoit en douze Gouvernemens generaux, qui tinrent encore les Etats en 1614. Nous suivrons cette division comme la plus aisée, & nous y joindrons les Pays de Conquêtes.

AU NORD.

Picardie.	Isle de France.
Normandie.	Champagne.

AU MILIEU.

Bretagne.	Bourgogne.
Orléanois.	Lyonois.

AU MIDI.

Guienne & Gascogne.	Dauphiné.
Languedoc.	Provence.

I. PICARDIE.

La Picardie comprend :

1. Le Pays reconquis. *Calais*, passage de France en Angleterre. *Guines.*

2. Le Boulonois. *Boulogne, Ambleteuse.*
3. Le Ponthieu & Vimeux. *Abbeville, S Valery.*
4. Le Vermandois. *S. Quentin, Ham.*
5. Le Thierache. *Guise, la Fere.*
6. L'Amiennois. *Amiens. Dourlens.*
7. Santerre. *Péronne, Roye*, grands passages de Flandre. *Montdidier.*

II. NORMANDIE.

La Normandie comprend :

1. Le Vexin Normand & le Roumois. *Rouen, Gisors, Quillebeuf.*
2. Le Bray. *Gournai, Aumale.*
3. Le Pays de Caux. *Caudebec, Dieppe, Havre-de-Grace, Harfleur.*
4. Diocese de Lisieux. *Pont l'Evêque, Pont-eau-de-mer.*
5. Dioc. d'Evreux. *Vernon, Verneuil, Louviers.*
6. Dioc. de Sées. *Alençon, Falaise, Guibrai*, Foire celébre.
7. Dioc. de Bayeux. *Caen. Vire.*
8. Dioc. de Coutances. *Cherbourg, S. Lo.*
9. Dioc. d'Avranches. *Mont S. Michel.*

III. ISLE DE FRANCE.

L'Isle de France comprend :

1. Isle de France. *Paris, S. Denis, Vincennes, Chelles, Charenton.*
2. La Brie. *Brie-comte-Robert, Corbeil, Crecy.*
3. Le Hurepoix & la Beauce. *Dourdans, Chartres, Long-Jumeau, Montfort-l'amauri.*
4. Le Gatinois François. *Melun, Fontainebleau, Nemours.*
5. Le Mantois. *Mantes, Versailles, S. Germain, Poissi, Meulan, Dreux.*
6. Vexin François. *Pontoise.*
7. Le Beauvoisis. *Beauvais, Clermont* grande route de Picardie.
8. Le Valois. *Crespy, Senlis, Pont S. Maxence, Chantilli, Compiegne, Villers-Cotteret.*
9. Le Soissonnois. *Soissons.*
10. Le Laonnois. *Laon, Noyon, Liesse.*

IV. LA CHAMPAGNE.

La Champagne renferme :

1. Le Rhemois, le Pertois & le Rethelois. *Rheims, Vitry-le-François, Rethel, Rocroi, Charle-ville, Sedan.*

2. La Champagne propre & le Chalonois. *Troyes*, *Chalons-ſur-Marne*.

3. Le Baſſigni & le Vallage. *Langres*, *Joinville*, *Bar-ſur-Aube*.

4. Le Senonnois & Tonnerois. *Sens*, *Tonnerre*.

5. La Brie Champ. *Meaux*, *Provins*.

I. BRETAGNE.

La haute Bretagne comprend 5. Evêchés.

Rennes. *Fougeres*.
Nantes. *Ancenis*.
S. Malo. *Penbœuf*, *Croiſſic*, *Dinant*.
Dol.
S. Brieux.

La baſſe Bretagne à quatre Evêchés.

Vannes. *Port-Louis*. *Hennebond*.
Quimper. *Quimpercorentin*.
S. Pol de Leon. *Breſt*.
Treguier. *Morlaix*.

II. ORLEANNOIS.

L'Orleannois renferme :

1. L'Orleannois propre. *Orleans*; *Baugenci*,

2. La Beauce Chartraine, le Vendomois, le Dunois, le Perche, le Nivernois. *Chartres*, *Nogent-le-Roi*, *Vendôme*, *Chateau-dun*. *Nevers*.

3. Le Blaiſois, la Sologne. *Bazoches, Blois, Chambor, Romorantin.*

4. Le Gatinois. *Montargis, Gien, Etampes, Briare.*

5. La Touraine, l'Anjou, le Maine, *Tours, Angers, le Mans*. &c.

6. Le Poitou, le Berri, l'Angoumois & le Pays d'Aunis, *Poitiers, Bourges, Angoulême, la Rochelle.*

III. LA BOURGOGNE.

La Bourgogne comprend :

1. Le Dijonois. *Dijon, Beaune, Nuitz.*
2. L'Autunois. *Autun, Bourbon-Lancy.*
3. Le Chalonnois. *Chalons.*
4. Le Pays des Montagnes. *Chatillon-ſur-Seine, Bar-ſur-Seine.*
5. L'Auxois. *Semur, Avalon.*
6. L'Auxerrois. *Auxerre, Coulange.*
7. Le Charollois. *Charolles.*
8. Le Maconois. *Macon, Tournus.*

IV. LE LYONNOIS.

Le Lyonnois comprend :

1. Le Lyonnois propre. *Lyon, S. Chaumont, Condrieux.*
2. Le Foreſt. *Montbriſon, S. Etienne.*
3. Le Beaujolois. *Beaujeu, Villefranche.*
4. Le Bourbonnois, *Moulins.*
5. L'Auvergne, *Clermont.*

I. GUIENNE ET GASCOGNE.

La Guienne comprend :

1. Le Bourdelois. *Bourdeaux.*
2. Le Bazadois. *Bazas.*
3. Le Perigord. *Perigueux.*
4. Le Querci. *Cahors.*
5. L'Agenois. *Agen.*
6. Le Rouergue. *Rodez.*
7. Le Limoſin, *Limoges.*

La Gaſcogne ſe ſubdiviſe en,

1. Condomois. *Condom*, *Nerac.*
2. Armagnac. *Auch*, *Leitoure.*
3. Cominge. *S. Bertrand*, *Lombez.*
4. Conſerans. *S. Licer.*
5. Bigorre. *Tarbes.*
6. Chaloſſe. *Ayre.*
7. Baſques. *Bayonne*, *S. Jean de Luz.*
8. Les Landes. *Dax.*

II. LANGUEDOC.

Le Languedoc contient le haut, & le bas Languedoc.

Le haut contient neuf Dioceſes, & le bas onze.

Le haut Languedoc à

Toulouſe.

Montauban. *Caſtel-Sarazin.*

Alby.

Castres.	*Lautrec.*
Lavaur.	*Puilaurens.*
S. Papoul.	*Castelnaudari.*
Rieux.	
Mirepoix	
Comminges.	*Valentine.*

Les onze Dioceses du bas Languedoc sont :

Carcassone.	*Monreal.*
Alet.	*Limoux.*
S. Pons de Tomieres.	
Narbonne.	*Rieux*, Comté.
Beziers.	
Lodeve.	*Port de Cette, Pézénas.*
Agde.	
Montpellier.	*Lunel, Frontignan.*
Nismes.	*Beaucaire, Aigues-mortes, Sommieres.*
Alais.	*Ste Hyppolite.*
Uzès.	*Pont S. Esprit.*

III. DAUPHINÉ.

Le haut Dauphiné.

1. Gresivaudan. *Grenoble, la grande Chartreuse.*
2. Royanez. *Pont de Royan.*
3. Les Baronies. *Buis, Nyons.*
4. Le Gapençois. *Gap.*
5. L'Ambrunois. *Ambrun, Guillestre.*

6. Le Briançonnois. *Briançon Fenestrelles, Exiles.*

Bas Dauphiné.

1. Le Viennois. *Vienne, Romans.*
2. Le Diois. *Die.*
3. Le Valentinois. *Valence, Montelimar.*
4. Le Tricaſtin. *S. Paul Tricaſtin.*

IV. PROVENCE.

Haute Provence :

1. Siſteron. *Forcalquier.*
2. Digne.
3. Apt.
4. Riez.
5. Senèz. *Caſtellane, Colmar.*
6. Glandeve.

Baſſe Provence.

1. Arles, *Taraſcon.*
2. Aix, *Brignole.*
3. Marſeille, *la Ciotat.*
4. Toulon, *Iſles d'Hyeres.*
5. Fréjus, *Draguignan, St Tropez.*
6. Grace, *Antibes.*
7. Vence.

Le Comtat Venaiſſin & la Principauté d'Orange.

Le Comtat Venaissin est sous la domination du Pape.

Avignon, *Carpentras*, *Cavaillon*, *Vaison*.

La Principauté d'Orange est réunie à la France. *Orange*.

PAYS DE CONQUESTES.

Les Pays de Conquêtes sont :

1°. L'*Artois*, Comté, une des dix-sept Provinces cedées à la France, par la Paix des Pyrenées en 1659. *Arras*, *S. Omer*, *Bethune*, *Aire*, *Bapaume*.

2°. La Flandre Franç. *voyez* P. 64.

3°. Le Haynaut Franç. *voyez* P. 65.

Il faut y joindre le Cambresis, *Cambrai*, *Crevecœur*.

4°. La Franche-Comté qui est demeurée à la France par la Paix de Nimegue.

Ce Comté se divise en quatre Bailliages.

Bailliages.
1. *Vesoul*.
2. *Gray*.
3. *Besançon*.
4. *Dole*.

Salins, *S. Claude*, Evêché érigé en 1742.

5°. Le Roussillon uni à la France par la Paix des Pyrenées.

Il se divise en Vigueries de	*Perpignan*, *Colioure.*
	Rivesaltes.
	Conflans, *Ville Franche.*

Et en Cerdagne Françoise *Mont-Louis.*

6°. L'Alsace, qui se divise en haute & basse, & le Sut-gaw.

La haute à *Colmar*, *Neuf-Brisac.*

La basse à *Strasbourg*, *Hagenau*, *Schlestat*, *Landau*, *Saverne.*

Le Sut-gaw, *Ferrette*, *Beford*, *Hunningue.*

7°. La Lorraine & le Duché de Bar cedés au Roi Stanislas, par la derniere Paix, & réversibles en pleine Souveraineté à la Couronne de France après la mort dudit Roi.

Le Duché de Lorraine se divise en trois Baillages.

Bailliages François & Allem.	*Nanci*, *Luneville.*
	Vaudemont, *Sarbruck.*
	De Voge, *Mirecourt*, *Espinal*,
	Plombieres.
	Vandrevange.

Le Duché de Bar se divise en trois Bailliages.

Bailliages.	De Bar,	*Bar-le-Duc.*
	De Baſſigni,	*Vaucouleurs.*
	De S. Michel,	*Pont à Mouſſon.*

Par le Traité de Munſter la France poſſedoit les trois Evêchés, *Metz*, *Toul*, *Verdun*, & dans le Barois *Longwi* & *Stenai*.

III. L'ALLEMAGNE.

L'Allemagne a pour bornes au N. le Jutland & la Mer Baltique ; au S. les Suiſſes & une partie de l'Italie ; à l'E. la Pologne & la Hongrie ; à l'O. les Pays Bas & l'Ocean.

La Religion Catholique eſt la dominante de l'Allemagne; on n'élit point d'Empereur qui n'en ſoit ; la Lutherienne dite *Proteſtante*, & la Calviniſte ou *Prétendue Réformée* y ſont permiſes & même très-puiſſantes.

ARCHEVESCHÉS.

Cologne.	Treves.	Magdebourg.
Mayence.	Saltzbourg.	

EVESCHÉS.

Brandebourg.	Hildesheim.	Brixen.
Halverberg.	Conſtance.	Gurck.
Spire.	Halberſtadt.	Vienne.
Worms.	Bamberg.	Neuſtadt.
Wutſbourg.	Friſengen.	Lubec.
Aichſtat.	Ratiſbonne.	Ratſbourg.
Verden.	Paſſau.	Schewerin.
Ghur.	Chiemſée.	Naumbourg.
Oſnabrug.	Minden.	Maeſbourg.
Meiſſen.		

UNIVERSITÉS.

Vienne.	Leipſik.	Wittemberg.
Liege.	Erfurt.	Francfort ſur l'Oder.
Marſburg.	Ingolſtadt.	Jena.
Gripſwald.	Dilengen.	Paderborn.
Lewegem.	Helmſtadt.	Keil.
Altorff.	Herborn.	Lemgou.
Gratz.	Tubingen.	
Heidelberg.	Roſtock.	

Le Gouvernement de l'Allemagne eſt *Monarchique Ariſtocratique*, ſon Chef eſt un Empereur qui eſt élu par neuf Princes *Electeurs*.

ELECTEURS ECCLESIAST.

1. L'Archevêque de Mayence *Archi-Chancelier* de l'Allemagne & *Directeur* des Archives.
2. L'Archevêque de Treves *Archi-Chancelier* dans les Gaules.

3. L'Archevêque de Cologne *Archi-Chancelier* en Italie.

ELECTEURS SECULIERS.

1. Le Roi de Bohême *Grand Echanson* de l'Empire.
2. Le Duc de Baviere *Grand Maître.*
3. Le Duc de Saxe *Grand Maréchal.*
4. Le Marquis de Brandebourg *Grand Chambellan.*
5. Le Comte Palatin *Grand Trésorier.*
6. Le Duc de Brunswic - Hanover *Porte-Enseigne.*

L'Empereur & chaque Prince de l'Empire est Souverain dans ses Etats, & l'Empereur, quoique Chef, ne peut rien faire hors de ses Etats heréditaires sans le consentement de la Diette.

La *Diette* est une Assemblée de tous les Etats de l'Empire qui se tient à Ratisbonne, elle est partagée en trois Colleges ; celui des Electeurs, des Princes tant Ecclesiastiques que Seculiers, Prélats, Comtes & Barons, & celui des Villes *Imperiales* & Anseatiques.

On appelle Villes Imperiales celles qui ne reconnoissent aucun Prince Souverain ; ce sont comme autant de Républiques.

Rivieres d'Allemagne.

Le *Danube* a ſa ſource dans les montagnes de la Forêt Noire, paſſe dans la Suabe, la Baviere, l'Autriche, la Hongrie, la Servie, la Bulgarie, la Moldavie, & ſe jette dans la Mer Noire.

Il reçoit l'*Iſer*, l'*Inn*, l'*Ens*, *le Rahab*, la *Drave* & la *Save* &c.

Le *Rhin* prend ſa ſource au Pays des Griſons, traverſe une grande partie de l'Allemagne & des Pays Bas, ſe diviſe en deux branches au Fort de Schenck, dont l'une ſous le nom de *Rhin* va à Arnhem; l'autre ſous le nom de *Vahal* coule vers Nimegue, Bommel, ſe joint à la Meuſe.

Le *Rhin* ſe diviſe de nouveau à Arnhem, où la branche droite, ſous le nom d'*Iſſel*, paſſe à Doeſbourg, Zutphen, Deventer, ſe jette dans le Zuyderzée: à Wick-te-Duerſtede, le Rhin ſe partage encore, & la branche gauche ſous le nom de *Leck* paſſe à Roterdam, le Rhin va ſe perdre dans les ſables au-deſſous de Leyde. Le Rhin reçoit le *Necre*, le *Mein*, la *Lippe* & la *Moſelle*.

L'*Elbe* a sa source sur les frontieres de la Silesie, traverse la Misnie, la Saxe, se jette dans la mer d'Allemagne. Il reçoit la *Moldaw*, la *Salta* & la *Sprée*.

L'*Oder* a sa source dans les confins de la Moravie, arrose la Silesie, la Marche de Brandenbourg, se jette dans la Mer Baltique par trois embouchures.

Le *Weser* a sa source en Franconie, passe par le Pays d'Hesse, de Brunswic, se jette dans la Mer d'Allemagne.

Le *Mein* a sa source dans le Marquisat de Culmbach, traverse l'Evêché de Bamberg & l'Electorat de Mayence & se jette dans le Rhin.

L'Allemagne se divise en dix Cercles dont celui de Bourgogne ne subsiste plus. On y joint le Royaume de Bohëme, la Hongrie, les Pays Bas, & les Suisses comme Pays adjacens.

I. AU NORD.

Le Cercle de Westphalie dont le Roi de Prusse, comme *Duc de Cleves*, & l'Electeur Palatin en qualité de *Duc* de *Juliers*, ſont alternativement Directeurs avec l'Evêque de Munſter, comprend :

1. Les Evêchés de { *Munſter.* / *Paderborn.* / *Oſnabruck*, alternatif. / *Liege.* }

2. Les Duchés de { *Juliers*, *Duſſeldorp*, à l'Electeur Palatin. *Aix la Chapelle*, Ville Imper. / *Bergue*, à l'Elect. Palatin. / *Cleves*, au Roi de Pruſſe. / *Weſel*, *Duisbourg.* / *Ferden.* }

3. Les Principautés au Roi de Pruſſe. { D'*Ooost-friſe*, *Aurick*: / *de Minden.* }

4. Les Comtés de *la Marck*, au Roi de Pruſſe, de *Teckembourg*, de *Lingen*, de *Lippe*, & d'*Aremberg* au Prince de ce nom.

II. AU NORD.

Le Cercle de Baſſe Saxe a pour Directeurs alternatifs, avec le plus âgé Duc de Brunſwic-Lunebourg, le Roi de Pruſſe comme Duc de Magdebourg, & le Roi d'Angleterre comme Duc de Breme.

1. L'Holstein.	L'Hostein propre, *Kiel.* Ditmars, *Lunden.* Wagrie, *Lubec.* Stormarie, *Hambourg.*

2. Le Meckelbourg, *Rostock.*
3. L'Electorat d'*Hanover.*
4. L'Evêché d'*Hildesheim.*
5. La Principauté *d'Halberstadt.*

6. Les Duchés de	*Breme*, au Roi d'Anglet.	
	Magdebourg, au Roi de Pr.	
	Lauwembourg.	à l'Electeur d'Hanover.
	Luneboura.	
	Brunswic.	

III. AU NORD.

Le Cercle de Haute Saxe dont l'Electeur est seul Directeur, comprend :

1. Le Duché & Electorat de Saxe *Wittemberg.*
2. La *Misnie*, *Dresde*, *Leipsik.*
3. La *Turinge*, *Veimar*, *Erfort*, *Jena.*
4. La Principauté d'Anhalt, *Dessau.*
5. L'Electorat de Brandebourg qui se divise :

En { Vieille marche, *Stendel.*
Nouvelle, *Cuſlrin*, *Landsberg.*
Moyenne, *Berlin*, *Francfort ſur l'Oder.* }

6. Pomeranie { Suedoiſe, *Stralſund*, *Studgard.*
Pruſſienne, *Stettin.* }

IV. AU MILIEU.

Le Cercle *Electoral* ou du Bas Rhin a pour Directeur l'Electeur de Mayence & l'Electeur Palatin.

1. Mayence, *Aſchaffembourg.*
2. Treves, *Coblentz.*
3. Cologne, *Bonn*, *Keyſervert*, *Nuys.*
4. Le Palatinat du Rhin, *Heidelberg*, *Manheim*, *Traerbac*, *Birkenfeld.*

V. AU MILIEU.

Le Cercle du Haut Rhin comprend :

1. Les Evêchés de { *Spire*, à ſon Evêque.
Worms, à ſon Evêque. }

2. Le Langraviat de 'Hesse. { *Cassel*, *Marbourg*, premiere Branche.
Darmstadt, *Geissen*, seconde Branche.
Rhinfels, *Rotembourg*, troisiéme Branche.
Hombourg, 4eme Branch. (*Fulde*, à son Abbé.)

3. La Weteravie, *Wetzlar*, Chambre Imperiale.

4. Les Duchés de { *Simmeren*. *Deux Ponts*.

5. Comtés de { *Lautrec*.
Hanau, *Nassau-Siegen*.
Montbelliard, au Duc de Wirtemberg.

6. Les Villes de *Brissac*, *Fribourg*.

VI. AU MILIEU.

Le Cercle de Franconie dont l'Evêque de Bamberg & le Marquis de Culembach sont Directeurs, renferme :

1. Les Evêchés de { *Bamberg*, à l'Electeur de Mayence. *Wurtsbourg*, à son Evêque. *Aichstat*, à son Evêque. }

Mergentheim, à l'Electeur de Treves, Grand Maître de l'Ordre Teutonique.

2. Le Duché de *Cobourg*.

3. Les Marquisats de { *Culembach*. *Anspach*. }

4. Les Principautés de { *Henneberg*. *Schwartzemberg*. }

5. Le Margraviat de Bareith, à un Margrave.

Les Comtés de { *Wertheim*, *Brandebourg*. *Leuwoestin*. *Holac*. }

Nuremberg, *Francfort* sur le Mein, Villes Imperiales.

L'Université d'*Altorff*, dépend de la Ville de *Nuremberg*.

VII. AU MIDI.

Le Cercle de Souabe qui a pour Directeurs l'Evêque de Constance & le Duc de Wirtemberg, comprend :

1. Les Evê-chés de { *Conſtance.* *Ausbourg.*

2. Le Duché de Wirtemberg. { *Studgard.* *Tubingen.*

Hohentwiel, *Mindelheim*, au Duc de Baviere.

3. Le Marquiſat de Bade. { *Bade*, Ville ruinée. *Keil.* *Raſtadt*, réſidence de la Branche Catholique. *Dourlach*, réſidence de la Branche Proteſtante.

4. Le Burgaw, à la maiſon d'Autric.
5. L'Ortenaw, *Offembourg.*

6. Les Principautés de { *Furſtemberg.* *Hohenzollern.*

Les Villes Foreſtieres *Memmingue*, *Lindau*, *Hailbron*, *Rhinfeld*, *Seckingen*, *Lauffenbourg*, *Waldshout*, *Ausbourg*, *Hall*, *Ulm*, Villes Imperiales. *Conſtance* paſſage pour l'Italie, à l'Empereur.

Kempten, à ſon Abbé.

Mersbourg, à l'Evêque de Conſtance.

Dillingen., à l'Evêque d'Auſbourg.

VIII. AU MIDI.

Le Cercle de Baviere qui a pour Directeurs l'Archevêque de Saltzbourg & l'Electeur de Baviere, comprend :

1. L'Archevêque de *Saltzbourg*.

2. Les Evêchés de { *Passaw*, à l'Evêque. *Ratisbonne*, Ville Imp. *Freisingen*, *Donawert*. *Chiemzée*.

3. La Prévôté de *Berchstolgaden*.
4. L'Electorat de Baviere *Munich*; *Ingolstadt*, *Burckausen*, *Lanshut*, *Straubigen*.
5. Le haut Palatinat, *Amberg*, *Sultzbach*, *Leuckenberg*.
6. Le Duché de *Newbourg*, *Hochstedt*.

IX. AU MIDI.

Le Cercle d'Autriche dont l'Archiduc est seul Directeur, comprend :

1. Haute & basse. { Autriche. } *Lintz*. *Vienne*, *Neustat*.

2. Haute & basse.	Carinthie.	*Clagenfurt.*
3. Haute & basse.	Carniole.	*Laubach.* *Trieste*
4. Haute & basse.	Stirie.	*Gratz.*

5. Le Tirol.	*Tirol* propre, *Inspruck.*
	Bolzen, *Kufstein.*
	Trente, Evêché.
	Brixen, Evêché.

PAYS ADJACENS.

LE ROYAUME DE BOHEME.

Ce Royaume est un Electorat Royal, dont le Roi porte le nom de *Grand Echanson de l'Empire* ; il fut rendu héréditaire par la paix de Munster en 1698 dans la maison d'Autriche. La Religion Catholique est la dominante.

ARCHEVESCHE'S.

Archev. *Prague.*

EV.

EVESCHE'S.

Ev. *Leitmeritz*, *Konigsgratz*, *Breſlau*, *Olmutz*.

UNIVERSITE'S.

Prague, *Olmutz*.

Ce Royaume ſe diviſe en,

1. Bohëme propre, *Prague*, *Leitmeritz*.
2. Moravie, *Olmutz*.
3. Haute & Baſſe Sileſie. *Ratibor*. *Breſlau*. Au Roi de Pruſſe.
4. Haute & baſſe. Luſace. *Gorlitz*. *Soraw*.

LA HONGRIE.

Ce Royaume eſt borné au N. par la Pologne; au S. par la Turquie; à l'E. par la Valaquie & la Moldavie; à l'O. par l'Autriche & la Moravie.

La Hongrie étoit autrefois un Royaume électif que l'Empereur Leo-

D

pold fit déclarer héreditaire pour les Princes de sa Maison en 1687.

La Religion Romaine y est la dominante ; il y a aussi des Lutheriens, des Calvinistes, des Grecs & des Juifs.

ARCHEVESCHE'S.

Archev. *Gran*, *Colocza*.

EVESCHE'S.

Ev. *Agria*, *Meytracht*, *Cinq-Eglises*, *Raab*, *Vesprin*, *Grand Waradin*, *Weissembourg*, *Hermanstat*.

Le Danube traverse ce Royaume & y reçoit le Wag, la Teisse, la Drave & la Save.

Ce Royaume se divise en,

1. Haute Hongrie. *Presbourg*, *Agria*. *Neuhausel*, *Tokai*, *Cassovie*, *Mongatz*, *Temeswar*,
& Basse. *Bude*, *Comorre*, *Sopron*, *Canise*.

2. Esclavonie, *Posega*, *Peterwaradin*.
3. Transilvanie, *Hermanstat*, *Coloswar*.

4. Servie, *Belgrade*, *Nissa*, *Semendrie*, *Viddin*.

PAYS-BAS.

Les Pays-Bas sont situés à l'O. de l'Allemagne, & comprennent dix-sept Provinces.

Quatre Duchés, *Brabant*, *Gueldre*, *Luxembourg* & *Limbourg*.

Sept Comtés, *Flandre*, *Artois*, *Hainaut*, *Namur*, *Hollande*, *Zelande*, *Zutphen*.

Cinq Seigneuries, *Frise*, *Groningue*, *Owerissel*, *Utrecht* & *Malines*.

Un Marquisat du St Empire, *Anvers*.

RIVIERES DES PAYS-BAS.

La *Meuse* vient de la Lorraine, traverse le Comté de Namur, le Pays de Liege, la Gueldre, se jette dans l'Ocean entre la Brille & Gravesande.

L'*Escaut* sort du Cambresis, arrose la Flandre tout le long de son cours, se divise au-dessus d'Anvers en *Escaut Oriental* qui passe proche Berg-Opzom; & en *Escaut Occidental*, qui se perd dans la Mer d'Allemagne.

La *Lys* vient de l'Artois, arroſe la Flandre dans un cours preſque parallele à l'Eſcaut auquel elle ſe joint à Gand.

La *Sambre* arroſe le Hainaut, ſe jette dans la Meuſe à Namur.

La *Scarpe* arroſe Arras, Douai, Marchiennes, St Amand, ſe jette dans l'Eſcaut à Mortagne.

DIVISION DE CES PROVINCES *par la Paix d'Utrecht.*

1. Flandre.

1. Flandre Françoiſe, où l'on parle François.	*Lille, Douay, Orchies.*
Où l'on parle Flamand.	*Dunkerque, Bergues S. Winoc, Gravelines.*
2. Flandre Imp. où l'on parle Flamand.	*Gand, Bruges, Oſtende, Nieuport, Dixmude, Ypre, Furnes, Courtray, Oudenarde.*
Où l'on parle François,	*Tournay.*
3. Flandre Hollandoiſe, où l'on parle Flamand & Hollandois.	*L'Ecluſe, Iſendick, Sas-de-Gand. Hulſt, Axel, Terneuſe, &c.*

2. Brabant.

Brabant Autrichien. { *Bruxelles*, *Vilvorde*, *Louvain*, *Rupelmonde*.

Brabant Hollandois. { *Bois-le-Duc*, *Breda*, *Berg-Opzom*, *Gertrudemberg*, *Grave*.

Le Pays de Liege quoiqu'enclavé dans les Pays-Bas eſt du Cercle de Weſtphalie, il comprend, *Liege*, *Haſſelt*, *Huy*, *Maſeyck*, *St Tron*, *Bilſen*, *Cyney*.

3. La Seigneurie de *Malines*.

4. Le Marquiſat de St Empire, *Anvers*, *Liere*, *Turnhout*, *Hooghſtraeten*, *Tirlemont*.

5. Le Hainaut Autrichien. { *Mons*, *Ath*, *Binch*, *S. Guilain*, *Leuze*.

Le Hainault François. { *Valenciennes*, *Maubeuge*, *Condé*, *le Quenoi*, *Landrecies*, *Bouchain*, *Bavai*.

6. Comté de *Namur*, *Charleroi*, *Bouvigne*, *Fleuru*.

7. Le Duché de *Luxembourg*, *Arlon*.

Le Luxembourg François, *Bouillon*, *Carignan*, *Damvilliers*, *Thionville*.

8. Le Limbourg Autrichien, *Limbourg*.

Le Limbourg Hollandois, *Maestricht*, *Wich*, *Dalem*.

9. *Voyez* l'Artois, *Page* 394.

10. Comté de *Zutphen*, aux Hollandois.

PROVINCES UNIES.

Les Provinces *Unies* sont ainsi appellées, depuis l'union qu'elles firent à Utrecht en 1579, pour se soustraire à la domination d'Espagne à l'occasion des troubles arrivés dans les Pays-Bas.

Le Gouvernement y est Democratique, chaque Province forme autant de République, que l'interêt commun réunit pour n'en faire qu'une, sous les noms d'*Etats Généraux des Provinces Unies*.

Les Villes envoient leurs Deputés à leur Province avec ceux de la Noblesse, & les Provinces envoient les leurs aux Etats Generaux; la Hollande en a trois; la Gueldre, la Zelande, la Frise deux, les autres Provinces un chacune.

La Religion Prétendue Réformée est la dominante des Provinces Unies, où l'on tolere toutes les autres lorsqu'elles ne troublent point l'Etat.

1. La Hollande la plus riche Province de l'Europe.

Nort-Hollande.
Enckhuisen, Horn, Edam, Alcmaer.

(Sud-Hollande.)
Harlem, Amsterdam; Leyde, Voerden, la Haye, Delft, Oudewater, Schiedam, Roterdam, Schonhove, Gorcum.

Isle de Woorn, *la Brille*, où l'on s'embarque pour l'Angleterre.

2. La Zelande est composée de sept Isles, les principales sont :
1. Walcheren, *Middelbourg, Flessingue.*
2. Sud-Beveland, *Goes.*
3. Scowen, *Ziriczée.*

3. La Gueldre
- Hollandoise. *Arnhem. FortdeSkenck. Venlo.*
- Autrichienne, *Ruremonde.*
- Prussienne, *la Gueldre.*

4. Seigneurie *d'Utrecht.*
5. La Frise, *Harlingen, Worcum;*

Francker, *Leuwarde*, *Dockum.*

6. *Groningue.*

7. Owerissel, *Campen*, *Deventer*, *Zwol.*

LA SUISSE.

La Suisse est au Midi de la Souabe, elle se divise en treize Cantons.

1. *Zurich.*
2. *Berne*, *Lauzane*, Univ.
3. *Lucerne.*
4. *Uri*, *Altorff.*
5. *Swits.*
6. *Underwald.*
7. *Zug.*
8. *Glaris.*
9. *Basle.*
10. *Fribourg.*
11. *Soleure.*
12. *Scaffouze.*
13. *Appenzel.*

Les Sujets des sept premiers Cantons Suisses sont :

Le Turgow, *Frawenfeldt.*
Le Comté de *Sargans.*
Le Comté de Role, *Bremgarten.*
Le Woghental, *Meyenberg.*
L'Argow, *Bade.*
Le Rhintal.

En Italie les Bailliages de	*Lugano.* *Borcano* *Mendrisio.* *Valmagia.*	Aux douze premiers Cantons.
	Bellinzona. *Valbruna.* *Riviera.*	Aux Cantons d'*Uri*, de *Swits*, d'*Underwald.*

Les Alliés des Suisses sont :

1. Les Grisons, *Coire.*

Ligue Grise.
Ligue de la Maison-Dieu.
Ligue des dix Jurisdictions.

DES GRISONS dépend :

La Walteline.
La Ville & l'Abbé de St. Gal.

2. Le Valais, *Sion.*
3. La Rép. de *Geneve.*
4. La Principauté de *Neufchâtel* ; *Mulhausen* en Alsace, *Rotweil* & *Bienne* en Souabe.

Le Gouvernement des Suisses est Democratique, chaque Canton a ses Loix & ses Magistrats ; les Cantons Catholiques s'assemblent à Soleure, les Protestans à Araw, & tous enſemble à Bade pour la cauſe commune.

Les Cantons Catholiques ſont, *Lucerne, Uri, Switz, Underwald*, *Zug*, *Fribourg, Soleure*; Appenzel & Glaris, & les Griſons ſuivent l'une & l'autre Religion ; les autres Cantons ſont Proteſtans.

IV. POLOGNE.

La Pologne eſt bornée au N. & à l'E. par les Etats de la grande Ruſſie & la petite Tartarie ; au S. par la Hongrie, Tranſilvanie, Moldavie ; à l'O. par la Mer Baltique, le Brandebourg, la Sileſie.

La Pologne eſt un Etat Monarchique Républicain, ſon Chef eſt un Roi élu par la *Diette* générale du Royaume.

La *Diette* eſt compoſée ; 1°. Des Senateurs du Royaume. 2°. Des Deputés de la Nobleſſe des Palatinats appellés Nonces. 3°. De ceux des Villes principales. Elle fait prêter ſerment au Roi de garder les *Pacta Conventa* qui bornent ſon autorité.

La Religion Catholique y domine, la Lithuanie eſt infectée de differentes ſectes.

ARCHEVESCHÉS.

Gnesne, Leopol.

EVESCHÉS.

Cracovie.	Posna.	Ploczko.
Culm.	Vilna.	Colmensée.
Caminiec.	Windou.	Letzko.
Fauffemberg.	Midnick.	Kiovv.
Limberg.	Premislavv.	

UNIVERSITÉS.

Konigsberg, Posna, Vilna.

RIVIERES.

La Duna coule au Nord.

Le Niemen arrose Novogrodeck, Grodno, la Samogitie, se decharge dans la Mer Baltique.

La Vistule reçoit le Bug, traverse la petite Pologne, la Mazovie, la grande Pologne, la Prusse & se perd dans le Golfe de Dantzic.

La Warte se perd dans l'Oder.

Le Nieper baigne Smolensko, Orsa, Kiow, l'Ucraine & s'embouche dans la Mer Noire.

La Couronne de Pologne est composée de trois Etats.

1. Prusse, *Konigsberg*.
2. Lithuanie, *Vilna*.
3. Pologne, *Warsovie*.

I. La Prusse se divise en,

1. Prusse Polonoise & Royale, *Marienbourg*, *Dantzic*, Ville libre, *Culm*, *Torn*.
2. Royaume de Prusse, *Konigsberg*.

Cette derniere a été érigée en Royaume l'an 1701. en faveur de Frederic Electeur de Brandebourg.

II. La Lithuanie a cinq Parties.

1. La Lithuanie propre, *Vilna*.
2. La petite Russie, *Novogrodeck*.
3. La Samogitie, *Midnick*.
4. La Curlande, *Goldingen*.
5. Le Duché de Semigalle, *Mittaw*, *Libaw*.

La Lithuanie a ses Armées, ses Officiers, ses Finances & ses Loix à part.

III. La Pologne comprend,

1. La grande Pologne, *Posna*, *Gnesne*, *Kalisch*, *Sirad*, *Petricow*, *Lencici*, *Rawa*, *Dobruzin*, *Ploczko*.
2. La Cujavie, *Wladislaw*.
3. Mazovie, *Warsovie*.
4. Polaquie, *Bielski*.
5. La petite Pologne, *Cracovie*, *Sendomir*, *Lublin*.

6. La Polesie, *Brzessici.*
7. La Russie Polonoise, *Limberg, Belcz, Chelm.*
8. La Volhinie, *Lucko.*
9. La Podolie, *Caminiec, Braclaw.*
10. L'Ukraine Pays des Cosaques, *Kiow* aux Moscovites.

V. MOSCOVIE.

La Moscovie est bornée au N. par la Mer Glaciale, au S. par la petite Tartarie, à l'E. par la grande Tartarie, & l'O. par la Suede & la Pologne.

Les Moscovites suivent le schisme des Grecs, le Czar Pierre s'est déclaré lui-même le Chef des Eglises de ses Etats qu'il gouverne avec un pouvoir despotique; il a conservé les Patriarches & les Archevêques.

MÉTROPOLITAINS sous l'autorité DU CZAR.

Novogorod-Welixi, Casan, Rostou, Sarki.

Il y a de plus des Archevêques, des Evêques, des Abbés, des *Proto-Papas*, &c.

LA MOSCOVIE SEPTENTRIONALE.

Kola, Archangel, Cargapol,

Nottebourg, Petersbourg, Wiatka, Vologda, Pleskou.

MOSCOVIE MERIDIONALE.

Reſchow, Kiou, Moſcou, Roſthou, Twer, Suſdal.

Les Provinces les plus connues de cet Etat ſont la Livonie & l'Ingrie.

VI. L'ESPAGNE.

Ce Royaume eſt borné au N. par l'Ocean & les Pyrenées qui le ſéparent de la France ; au S. & à l'E. par la Mediterranée ; & à l'O. par le Portugal.

La Religion Romaine eſt la ſeule que l'on ſouffre en Eſpagne.

Le Gouvernement eſt Monarchique. La Couronne eſt héréditaire & paſſe aux Filles au défaut de Mâles.

ARCHEVESCHÉS.

St. Jacques de Compoſtelle.
Valence.
Taragone.
Grenade.
Sarragoſſe.
Burgos.
Seviſle.
Toledo.

EVESCHÉS.

Oviedo.
Lugo.
Mondonedo.
La Corogne.
Tuy.
Oreuſe.
Cordoue.
Cadix.
Jaen.
Almeria.
Segovie.
Cuença.

Tervere.
Pampelune.
Valladolid.
Calahorre.
Placentia.
Coria.
Avila.
Malaga.
Segorve.
Guadix.
Origuenza.
Barcelone.
Tortose.
Lerida.
Solsona.
Vich.
Tarrasone.
Huesca.
Jacca.
Carthagene.
Balbatro.
Ciudad Real.
Siguenza.
S. Leon.
Salamanque.
Toro.
Astorga.
Palença.
Zamora.
Albarazin.

UNIVERSITÉS.

Seville.
Grenade.
Compostelle.
Tolede.
Valladolid.
Salamanque.
Alcala de Henarès.
Siguenza.
Valencia.
Lerida.
Huesca.
Sarragosse.
Tolede.
Ossone.
Guadix.
Barcelone.
Murcie.
Taragone.
Baeza.

Les principaux Fleuves de l'Espagne sont :

L'Ebre qui a sa source dans les montagnes de Santillane, il entre dans la Navarre, traverse l'Arragon & la Catalogne, & au-dessus de Tortose se jette avec violence dans la Mediterranée.

Le Guadalquivir sort des montagnes de Murcie, arrose Baeza, Anduxar, Cordoue & Seville, se jette dans l'Ocean près de S. Lucar.

La Guadiana vient des montagnes de la nouvelle Castille, entre dans le Portugal, se jette dans l'Ocean après avoir arrosé Calatrava, Medelin, Merida, Badajox.

Le Tage a sa source dans la Castille nouvelle, après avoir passé à Tolede & traversé le Portugal, se jette dans l'Ocean au-delà de Lisbonne.

Le Douro sort de la vieille Castille, traverse le Royaume de Leon & le Nord du Portugal & se jette dans l'Ocean.

Le Minho traverse la Galice, passe à Lugo, Orenze, Tuy, se jette dans l'Ocean.

Ce Royaume se divise en quatorze Parties.

1. Le Royaume de Galice, *St Jacques de Compostelle, la Corogne Vigo, Ferrol, Orenze, Cap Finisterre.*
2. Les Asturies, *Oviedo.*
3. { La Biscaye & Guipuscoa, *Bilbao, Santillane, Fontarabie, St Andero, St Sebastien.*
4. La Navarre, *Pampelune, Tudela.*
5. Le Royaume de Leon, *Leon, Salamanque.*

6. La Vieille Caſtille, *Burgos*, *Valladolid*, *Segovie*, *Slguenza*.
7. Le Royaume d'Arragon, *Sarragoſſe*, *Hueſca*.
8. La Catalogne, *Barcelone*, *Tarragone*, *Lerida*, *Tortoſe*, *Gironne*, *Cap de Roſes*.
9. L'Eſtramadoure, *Badajox*, *Merida*.
10. La Nouvelle Caſtille, *Madrid*. L'Eſcurial Palais magnifique avec un riche Couvent; *Tolede*, *Aranjuez*, Maiſon Royale. *Calatrava*.
11. Le Royaume de Valence, *Valence*, *Denia*, *Alicante*, *Morvedro*.
12. L'Andalouſie, *Seville*, *St Lucar*, *Ubeda*, *Kerès*, *Rota*, *Cadix*, *Gibraltar*.
13. Le Royaume de Murcie, *Murcie*, *Cartagene*.
14. Le Royaume de Grenade, *Grenade*, *Malaga*.

PORTUGAL.

Ce Royaume eſt ſitué entre l'Eſpagne & l'Ocean.

La Religion Romaine eſt la ſeule que l'on ſouffre en Portugal, dont le

Gouvernement eſt ſemblable à celui d'Eſpagne.

ARCHEVESCHÉS.

Liſbonne, Bragues, Evora.

EVESCHÉS.

Mirande.	Coimbre.	Elvas.
Leiria.	Lamego.	Portalegre.
Port à Port.	Viſeu.	Faro.

UNIVERSITÉS.

Liſbonne, Evora, Coimbre.

Le Portugal ſe diviſe en ſix parties.

1. Entre Douro & Minho, *Brague*, *Porto.* ou *Port à Port.*
2. Tralos Montes, *Bragance*, *Mirande.*
3. Le Beira, *Coimbre.*
4. L'Eſtramadoure, *Liſbonne*, *Setuval*, *Santaren*, *Leiria.*
5. L'Alentejo, *Evora*, *Elvas*, *Olivenza*, *Beja.*
6. Le Royaume d'Algarve, *Lagos*, *Silves*, *Tavira*, *Cap St Vincent.*

VII. L'ITALIE.

Ce Pays qui représente assez bien la figure d'une botte qui pousse du bout du pied la Sicile dans la mer, est bornée au N. par une partie de l'Allemagne & par les Suisses, au S. par la Mediterranée, à l'E. par la Mer Adriatique, & à l'O. par les Alpes.

Ses principaux Fleuves sont le Pô, qui lave les murailles de Turin, de Casal, de Valence, de Plaisance, de Guastale.

Le Tibre qui prend sa source dans l'Apennin, qui arrose l'Ombrie, la Campagne de Rome; on voit sur ses bords Citta di Castello, Perouze, Todi, Magliano, Rome, Ostie.

Les autres Rivieres sont l'Adige, l'Adda, le Tesin, l'Arne, la Trebia, le Tarn, le Volturne, le Silaro, l'Offante &c. Le nombre des ruisseaux qui la baignent est immense. Les Eaux Minérales & les Bains y sont très communs, sur-tout au Royaume de Naples.

ARCHEVESCHÉS.

Milan.
Turin.
Tarentaise.
Bologne.
Genes.
Florence,
Pise.
Urbin.
Fermo.
Ravenne.
Naples.
Capoue.
Salerne.
Amalfi.
Sorento.
Conza.
Benevent.
Thieti.
Lanciano.
Manfredonia.
Bari.
Cirenza.
Nazareth, ou Barleta.
Frani.
Tarento.
Brindisi.
Otranto.
Rossano.
Consenza.
San-Severino.
Reggio.

Nous ne mettons point les Evêchés qui sont en si grand nombre, que plusieurs Bourgs & Villages sont decorés de ce titre ; on en compte 250.

UNIVERSITÉS.

Rome.
Bologne.
Ferrare.
Perouse.
Florence.
Pise.
Sienne.
Milan.
Mantoue.
Pavie.
Naples.
Salerne.
Venise.
Padoue.
Veronne.
Parme.

L'Italie se divise en dix parties, auxquelles il faut joindre les Isles.

I. Les Etats du Roi de Sardaigne en Terre Ferme sont :

1. La Savoye propre, *Chamberri.*

2. Genevois, *Anneci.*

Geneve eſt une petite Rép. alliée des Suiſſes & ſous la protection de la France.

3. Chablais, *Thonon.*
4. Faucigni, *Bonneville.*
5. Tarentaiſe, *Monſtiers.*
6. Maurienne, *St Jean.*
7. Le Piémont, *Turin*, *Ivrée*, *Suze* paſſage de France en Italie, *Pignerol*, *Coni*, *Oneille.*
8. Le Duché d'*Aouſt.*
9. Le Marquiſat de *Verceil.*
10. Le Comté d'Eſt, *Aſti.*
11. Le Marquiſat de *Saluces.*
12. Le Comté de *Nice.*
13. *Villefranche.*
14. Montferrat, *Trin*, *Albe*, *Caſal.*

Le Roi de Sardaigne eſt Vicaire de l'Empire en Italie, & gouverne avec un pouvoir abſolu ſes Etats, où les Filles ſont exclues, comme en France, de la ſucceſſion.

II. Les Etats de la République de Veniſe ſe diviſent en douze Gouvernemens, qui ſont :

1. Le Dogado, *Veniſe.*
2. Le Frioul, *Udine.*
3. L'Iſtrie, *Capo d'Iſtria.*

4. La Marche Trevisane, *Trevise.*
5. Le Padoüan, *Padoüe.*
6. Le Polesin de Rovigo, *Rovigo*, *Adria.*
7. Le Vincentin, *Vicence.*
8. Le Veronois, *Verone.*
9. Le Bressan, *Bressia.*
10. Le Crémasc, *Crême.*
11. Le Bergamasc, *Bergame.*
12. Les Isles de la Mer Ionienne, dont les principales sont *Corfou*, *Ste Maure*, *Cephalonie*, *Zante.*

Une partie de l'Istrie & du Frioul appartient à la Maison d'Autriche.

Le Gouvernement de Venise est Aristocratique, dependant entiérement des Nobles du Pays, qui ont pour Chef un *Doge*, ou Duc perpetuel lequel est électif. Il préside aux Conseils où il n'a que sa voix. Il est obligé aussi bien que tous les Ministres & les Magistrats, de rendre compte de sa conduite au *Conseil des Dix*, Tribunal du monde le plus redoutable, lequel juge des Crimes d'Etat, & protege le peuple contre les mauvais traitemens des Grands.

III. La Coste de Gênes comprend:

1. L'Etat de *Gênes*, *Savone*, Isle de *Corse.*

2. Le Marquisat de Final.
3. La Principauté de *Monaco*.
Le Prince de ce nom est sous la protection de la France.
4. Le Duché de *Massa*.
5. La République de Lucques, *Viaregio*.

Gênes se gouverne en Aristocratie, son Chef est un Doge que l'on change tous les deux ans, & qui est obligé de demeurer dans son Palais sous une escorte de 500 Cavaliers étrangers.

Le Prince de Massa est un vassal de Gênes.

Lucques est un Etat Aristocratique qui a pour Chef un Gonfalonier que l'on change tous les trois mois.

IV. Le Milanez se divise en,

1. Milanez Autrichien, *Milan*, *Pavie*, *Cremone*, *Picigithone*, *Novarre*, *Tortone*, *Côme*.
2. Milanez au Duc de Savoye, *Alexandrie*, *Verceil*, *Vigevano*.

V. Le Mantouan Autrichien, *Mantoue*, *Luzzara*.

Monferrat Mantouan, au Duc de Savoye, *Casal*, *Acqui*, *Sabioneta*, *Guastalla*.

VI. Les Etats du Duc de Parme ſont :

1. Le Duché de Parme, *Parme.*
2. Le Duché de Plaiſance, *Plaiſance.*

Le Duc de Parme releve du Saint Siége, & lui paye un tribut annuel de dix mille écus, depuis que le Pape Paul III. donna ces Duchés avec celui de Caſtro à ſon Fils Louis Farneſe. Ils ſont reſtés à la maiſon d'Autriche par les derniers Traités de Paix.

VII. Les Etats du Duché de Modene ſont :

1. Le Duché de Modene, *Modene.*
2. Le Duché de Regio, *Regio.*
3. Le Pays de Loragio, *Rocavilla.*
4. Le Duché de Mirandole, *Mirandola, Concordia.*

Ce dernier Duché a été confiſqué ſur le Duc de ce nom par l'Empereur Joſeph, pour avoir pris le parti de l'Eſpagne, & a été vendu pour cinq millions au Duc de Modene.

Le Duc de Modene eſt membre de l'Empire, & lui paye quatre mille écus tous les ans. Dans ſon Etat l'Aîné ne partage point la ſucceſſion avec ſes freres.

VIII.

VIII. Les Etats du Grand Duc de Toſcane comprennent :

1. Le Florentin, *Florence.*
2. Le Piſan, *Piſe.*
3. Le Siennois, *Livourne*, *Volterra*, *Sienne.*
4. Stato delli Preſidii, *Orbitello*, *Portohercole.*
5. La Principauté de Piombino. Ces deux derniers Etats ſont au Roi des deux Siciles avec l'Iſle d'Elbe.

IX. L'Etat de l'Egliſe eſt compoſé de douze Provinces, qui ſont :

1. La Campagne de Rome, *Rome*, *Oſtie*, *Tivoli.*
2. La Sabine, *Magliano.*
3. Le Patrimoine S. Pierre, *Viterbe.*
4. Le Duché de Caſtro, *Civita-Vecchia.*
5. L'Orvietan, *Orvieto.*
6. Le Pérouſin, Perouſe.
7. L'Ombrie, *Spolette.*
8. La Marche d'Ancone, *Ancone.*
9. Le Duché d'Urbin, *Urbin.*
10. La Romagne, *Ravenne.*
11. Le Ferrarois, *Comachio.*
12. Le Boloneze, *Bologne.*

Le Pape gouverne en Souverain

E

l'Etat Ecclesiastique par des Legats, qui sont ordinairement des Cardinaux.

L'Election du Pape se fait à présent par les Cardinaux, qui sont au nombre de 70. & dont il doit avoir les deux tiers de voix dans le Conclave.

La Ville de San-Marino est une petite République, sous la protection du Pape, enclavée dans la Romagne.

X. Le Royaume de Naples.

Il se divise en quatre Parties principales; sçavoir:

I. La Terre de Labour, qui comprend:

1. La Terre de Labour propre, *Naples, Capoue, Gaëte, Nole.*
2. La Principauté Citerieure, *Salerne.*
3. La Principauté Ulterieure, *Benevent*, au Pape.

II. L'Abruzze, qui se divise en:

1. Abruzze Citerieure, *Chiéti.*
2. Abruzze Ulterieure, *Aquila.*
3. Comté de Molise, *Anciano.*

III. La Pouille, qui comprend:

1. La Capitanate, *Manfredonia.*
2. La Terre de Bari, *Trani.*

La Terre d'Otrante, *Otrante.*

IV. La Calabre, qui ſe diviſe en;

1. Calabre Citerieure, *Coſenza.*
2. Calabre Ulterieure, *Reggio.*
3. Baſilicate, *Acerenza.*

XI. L'Iſle & Royaume de Sicile, ſe diviſe en trois Vallées, qui ſont :

1. La Vallée de Mazara, *Palerme, Mont-réal.*
2. La Vallée de Demoni, *Meſſine, le Mont-Gibel.*
3. La Vallée de Noto, *Siracuſe.*
4. Les Iſles de Lipari, *Lipari.*
5. L'Iſle de Malthe, aux Chevaliers de ce nom, *la Valette.*

Ces deux Royaumes de Naples & de Sicile, appartiennent à Dom Carlos, premier Infant d'Eſpagne, qui en a fait la Conquête en 1735, & en a été reconnu Roi par le dernier Traité de Paix.

L'Iſle de Corſe eſt poſſedée par les Genois, *la Baſtie.*

L'Iſle de Sardaigne, qui appartient

au Duc de Savoye, se divise en deux Caps; sçavoir de

1. Cagliari.
2. Logudori, *Sassari.*

La Religion Romaine est la seule que l'on souffre en Italie.

VIII. TURQUIE,

EN EUROPE.

Cet Empire est borné au N. par la Hongrie; au S. par la Mediteranée; à l'E. par la Mer noire, la Mer de Marmora & l'Archipel; à l'Oüest par la Mer Yonienne.

La Religion Mahometane est la dominante de la Turquie, où les Chrétiens & les Juifs sont soufferts, moyennant un Tribut.

Le gouvernement du grand Seigneur est si despotique, que sa volonté seule fait les Loix à l'égard de la vie & des biens de ses Sujets, qui sont tous ses esclaves. La Noblesse n'est point héréditaire en Turquie.

ARCHEVESCHÉS:

Des Provinces Voisines du Danube.

Calcedoine.	Sophie.
Trajanopoli.	Antivari.

EVESCHÉS.

Posoga.	Zagrab.	Narenza.
Belgrade.	Scardona.	Cattaro.

ARCHEVESCHÉS DE LA GRECE.

Amphipoli.	Malvasie.	Saloniki.
Larissa.	Patras.	Adrianople.
Tarsa.	Napoli di Romania.	
Athênes.	Corinthe.	Janna.

EVESCHÉS.

Scotusa.	Argito Castro.	Livadia.
Modon.	Delvino.	Caffa, dans la Crimée.
Caminiek.	Butrinto.	Granitza.
Argos.	Clykeon.	Thalanta.
Misitra.	Salona.	Amphissa.

La Turquie Européenne se divise en Septentrionale & Méridionale.

La Septentrionale comprend :

1. La Bessarabie a des Tartares independans des Turcs. { Tartares de *Budziac*, *Bender*, sur le Niester. Tartares d'*Oczackow*, sur le Niéper.

2. La Moldavie, à l'Hospodar, tributaire du Turc, *Jassi*.

3. La Valachie, au Waivode, Tributaire du Turc, *Targowick*.
4. La Croatie Turque, *Wihitz*.
5. La Bosnie, *Jaiza*.
6. La Servie, *Belgrade*, *Semendrie*, *Viddin*.
7. La Bulgarie, *Nicopoli*, *Sophia*.

8. La Dalmatie.
- Turque, *Herzegovina*.
- Venitienne, *Spalatro*, *Zara*.
- Ragusienne, *Raguze*, République, elle paye tribut aux Turcs, aux Vénitiens, & à l'Ordre de Malthe.

9. La Romanie, *Constantinople*, *Andrinople*, *Gallipoli*, *les Dardanelles*, Châteaux qui commandent le détroit.

La Turquie Méridionale, ou l'ancienne Grece, comprend :
1. La Macedoine, *Saloniki*.
2. L'Albanie, *Scutari*, *Durasso*.
3. La Thessalie, *Janna*, *Larissa*.
4. L'Epire, *Chimera*, *Butrinto*, *Larta*.
5. L'Achaie, *Lepante*, *Athènes*.
6. La Morée, *Patras*, *Corinthe*, *Coron*, *Misistra*, *Napoli di Romania*, *Malvasia*.

LA PETITE TARTARIE.

La petite Tartarie appartient à un Prince, ou *Kam*, qui eſt tributaire du Turc.

La partie Septentrionale eſt habitée par les *Tartares Nogais.*

La Méridionale qui porte le nom de *Crimée*, a pour Capitale *Bacziaſerai*; *Or.* ou *Precop.*

Caffa, eſt au Turc.

DES ISLES DE L'EUROPE.

DES ISLES BRITANNIQUES.

Les Iſles Britanniques ſont à l'Orient des Pays Bas, & comprennent deux grandes Iſles, qui forment trois Royaumes; l'Angleterre & l'Ecoſſe s'appellent *La grande Bretagne*; l'Irlande eſt une Iſle & un Royaume ſeparé.

La Religion dominante eſt celle des *Epiſcopaux*, qui differe moins que celle des autres Proteſtans de la Catholique, elle a conſervé les Evêques qui la gouvernent, ſous l'autorité du Roi, qui en eſt le Chef.

Les *Presbyteriens* n'ont point d'Evêques, ils dependent des Miniſtres

& des Anciens ; d'ailleurs on y ſouffre toutes les Religions ; la Catholique eſt la ſeule dont l'exercice ſoit défendu.

ARCHEVESCHÉS.

Cantorberi. Yorck.

EVESCHÉS.

Londres.	Chicheſter.	Cheſter.
Durham.	Saliſbury.	Briſtol.
Wincheſter.	Worceſter.	Norwich.
Cath ou Vells.	Lincoln.	Gloceſter.
Oxfort.	Peterboroug.	Hereford.
Rocheſter.	Carlile.	Litchfied, ou
Ely.	Exeſter.	Coventri.

DANS LE PAYS DE GALLES.

Bangor. Landaff.
St Aſaph. St David.

UNIVERSITÉS.

Oxford. Cambridge.

Le Gouvernement eſt Monarchique & Ariſto-Démocratique. L'Ariſtocratie eſt repréſentée par la *Chambre Haute*, qui eſt compoſée des Princes du Sang, des Marquis & Comtes.

La Democratie par la *Chambre des Communes*, compoſée des Députés des Comtés, Villes, &c.

La Couronne y eſt héréditaire, les Filles ſuccedent au défaut des mâles.

On diviſe l'Angleterre en huit Parties.

1. Le Royaume de Northumberland, *Barwik*, clef de l'Ecoſſe, *Yorck*, *Lancaſtre*, *Carlile*, *Durham*.

2. Le Royaume de Murcie, *Oxford*, *Cheſter*, paſſage pour l'Irlande, *Gloceſter*.

3. Le Royaume de Suſſex, *Chicheſter*.

4. Le Royaume de Weſtſex, *Wincheſter*, *Dorcheſter*, *Briſtol*, *Plimouth*, rendez-vous des Eſpagnols; *Porſtmouth*.

5. Le Royaume d'Eaſt-Angles, *Cambrige*, *Yarmout*, *Harwich*, départ pour la Hollande.

6. Le Royaume d'Eſſex, *Londres*.

7. Le Royaume de Kent, *Cantorberi*, *Rocheſter*, *Douvres*, paſſage pour Calais.

7. La Principauté deGalles, *St David*, *St Aſaph*, *Milfort Havre*.

L'Ecoſſe occupe le Nord de l'Angleterre; la Religion Calviniſte Presbyterienne eſt la dominante; il a y auſſi des Epiſcopaux, ſous la conduite de deux Archevêques.

ARCHEVESCHÉS.

St Andrews. Glaſcow.

EVESCHÉS.

Edimbourg.	Brichen.	Orkney.
Dunkeld.	Dumblain.	Galloway.
Aberdeen.	Roſſ.	Argile.
Murray.	Cathneſſ.	

UNIVERSITÉS.

St Andrews. Aberdeen.
Edimbourg. Glaſcow.

On la diviſe en Septentrionale, & Méridionale.

La Septentr. comprend.
- *Aberdeen.*
- *Dundée.*
- *Dumblain.*
- *St Andrews.*
- *Glaſcow.*

La Merid. comprend *Edimbourg.*

L'Irlande eſt ſituée à l'Oueſt de la Grande Bretagne.

La Religion dominante eſt auſſi la Calviniſte Epiſcopale, cependant il y a encore grand nombre de Catholiques.

ARCHEVESCHÉS.

Armagh. Dublin.
Cassel. Galloway.

EVESCHE'S.

Meath.	Limerick.	Clonfert.
Kildare.	Watersort.	Elpin.
Offori.	Corck.	Raphoe.
Leighlin.	Cloyne.	Derri.
Killaloe.	Glogher.	Kilmore.
Killala.	Down.	Drommore.

UNIVERSITE'S.

Dublin.

L'Ecosse se divise en quatre Parties, qui sont :

1. L'Inster, *Dublin*, *Vexfort*.
2. L'Ulster, *Armach*, *Londonderi*.
3. Le Konnaugt, *Galoway*, *Athlont*.
4. Munster, *Limmerick*, *Balatimore*, *Corck*, *Kinsale*, *Waterford*.

Isles qui avoisinent l'Angleterre.
- *Isles Orcades*, *Isles Hebrides*.
- *Isles de Man*, *Anglesey*, *Wigth*.
- *Jersey*, *Guernesey*, voisines de la Normandie.

Voyez les autres Isles, P. 17.

ASIE.

L'Asie est bornée au N. par l'Oc. glacial, au S. par la Mer des Indes, à l'E. par la Mer de la Chine, à l'O. par l'Europe & l'Afrique.

L'Asie a plusieurs Golfes fameux la *Mer-rouge*, le Golfe *Persique*, (ou Golfe de *Balsora*, ou *d'Elcatif*, Villes voisines) le Golfe de *Bengale*, de *Siam*, de *Cochinchine*, de *Gang*, &c.

L'Asie se divise en cinq Parties, & les Isles.

1. La grande Tartarie.
2. La Turquie d'Asie.
3. La Perse.
4. l'Inde, l'Indostan, ou le Mogol.
5. La Chine.
6. Les Isles.

I. LA TARTARIE.

Ce vaste Pays comprend plus d'un tiers de l'Asie, il se divise en Tartarie Moscovite, indépendante & Chinoise.

La Tartarie Moscovite comprend, 1°. au *Nord*, la Russie Asiatique, la Siberie & le Kamtzchatka, Peninsule située à l'Orient de la Siberie.

Tobolskoi, Cap de la Siberie. Les Samoïedes habitent au Nord la Siberie.

2°. A l'Occident & au Midi, les Royaumes de Caſſan, de Bulgar, l'Aſtracan & la Circaſſie. *Terki*, *Aſtracan*, *Azof*.

TARTARIE INDEPENDANTE.

Tartares *Calmoucks*. Tartares *Uſbecks*.

TARTARIE CHINOISE.

Tartares *Mongales*, Tributaires de la Chine.

II. TURQUIE D'ASIE.

La Turquie d'Aſie eſt bornée au N. par la Moſcovie; au S. par la Mer d'Arabie; à l'E. par la Perſe, & l'O. par l'Archipel. Elle ſe diviſe en ſix parties.

1. La Natolie ou *Aſie Mineure*.
   - Natolie propre, *Burſe*, *Smirne*, *Ciotitaie*.
   - Amaſie *Trébiſonde*.
   - Caramanie *Cogni*, *Tocat*.
   - Aladulie *Maraz*.

2. La Georgie.
   - *Mingrelie*. *Imirette*. *Guriel*. } au Turc.
   - *Carduel*, *Teflis* au Sophie de Perſe.

3. Turcomanie, ou *Armenie* Maj.	*Erzerum*, ſur l'Euphrate au Turc. *Erivan* ſur l'Arraxe au Perſan.
4. Diarbeck ou *Aſſyrie*.	*Diarbekir*, *Moſul*, *Bagdat*, *Baſſora*.
5. Syrie.	Syrie propre, *Alep*. Phenicie, *Damas*, *Tripoli*. Paleſtine, *Jeruſalem*.
6. Arabie.	Deſerte; au Turc, & au Cherif de la Mecque, *Anna*, au Turc; *Medine*, *la Mecque* au Cherif. Petrée, *Herac*. Heureuſe, *Aden*, *Moca*, *Elcatif*, Iſle de Baharen.

III. LA PERSE.

La Perſe a pour bornes au N. la Tartarie; au S. la Mer d'Arabie; à l'E. l'Inde; à l'O. la Turquie.

Les Villes les plus connues des Européens ſont *Iſpahan*, *Tauris*, *Derbent*, *Schiras*, *Gomron*, ou *Benderabaſſi*, ſur le détroit d'Ormus.

IV. L'INDE.

L'Inde ou l'Empire du Mogol est borné au N. par la Tartarie ; au S. par l'Ocean Méridional ; à l'E. par la Chine ; à l'O. par la Perse.

1. Le Mogol propre comprend les Royaumes de
- *Delli.*
- *Agra.*
- *Cambaie*, *Surate.*
- *Bengale*, *Cugli.*

2. La presqu'Isle Occidentale de l'Inde, en deça du Gange, comprend les Royaumes de
- *Visapour*, *Bombai*, aux Anglois.
- *Chaul*, *Dabul*, *Goa*, aux Portugais.
- *Golconde.*
- *Bisnagar.*
- Côte de Malabar *Calicut*, *Cochin.*
- Côte de Coromandel *Paliacate*, aux Holl. *Meliapour*, aux Port. *Madras*, aux Ang. *Pondicheri*, aux François.

La preſqu'Iſle Occidentale de l'Inde, au-delà du Gange, comprend les Royaumes de
- D'Aracan.
- D'Ava, de Pegu, de Tunquin, de Kecho, de Cochinchine, *Coccian*, *Camboie*.
- de Siam, *Bancock*;
- *Malaca*, aux Hollandois.

V. LA CHINE.

La Chine eſt bornée au N. par une vaſte muraille qui la ſepare de la Tartarie; au S. par l'Ocean, le Tunquin &c. à l'E. par la Mer du Japon; à l'O. par l'Indoſtan.

Les Villes les plus connues ſont *Pekin*, *Nanquin*, *Canton*.

VI. LES ISLES.

Le Japon eſt à l'E. de la Chine, les Japonois ſont idolâtres, & ont des mœurs oppoſés au nôtre.

1. Iſles.
   - Niphon; *Yedo*. *Meaco*.
   - Kimo, *Nangaſachi*.
   - Xicoco.

2. Iſles Philippines, *Luçon*, *Manille*.
   Nouvelles Philippines.

3. Isles Marianes ou des Larrons, elles font un Pont de communication entre l'Amerique & l'Asie.

4. Isles Moluques, *Celebes*, *Gilolo*, *Ceram*, *Amboine*, *Banda*.

5. Isles de la Sonde. { *Borneo*. *Sumatra*, *Achem*. *Java*; *Batavia*, aux Hollandois, *Bantam*.

6. Isle de Ceylan, ou de la Canelle, les Hollandois y ont les meilleures Places.

7. Isles Maldives, *Male* à son Prince.

Les Religions dominantes de l'Asie sont la Mahometane & l'Idolâtre, les Missions y ont fait quelques Chrétiens. Le Gouvernement y est entiérement despotique.

AFRIQUE.

L'Afrique est bornée au N. par la Mediterranée, au S. par l'Ocean æthiopien, à l'E. par le Golfe Arabique, & l'Ocean Indien; à l'O. par l'Ocean Atlantique.

L'Afrique se divise en huit Parties.

I. L'Egypte appartient au Turc qui y envoit tous les trois ans un Bacha.

1. Haute Egypte ou ancienne Thebaïde.

3. Moyenne Egypte, *le Caire.*

2. Basse Egypte, *Alexandrie, Rosette, Damiette*, côte de la Mer Rouge, *Suez.*

2. La Barbarie comprend les Royaumes de *Fez & Maroc, de Tafilet*, de *Tunis, Tripoli*, de *Barca, d'Alger* & *Salé; Ceuta* & *Oran* aux Espagnols.

3. Le Biledulgerid ou Pays des Dattes, *Tousera.*

La Religion Mahometane est suivie dans toute l'Egypte, la Barbarie, le Biledulgerid.

4. Zaara pays desert, sterile, rempli de sables brûlans, qui comprend plusieurs vastes Provinces.

5. La Nigritie, vaste Pays qui comprend plusieurs Royaumes & Provinces, *Gaoga, Bournou, Tombut.*

6. La Guinée comprend:

La haute Guinée, *Isle St Louis*, aux François.

La Guinée propre, *le petit Dieppe,*

aux François ; *St George de la Mina*, & le Fort *Naſſau* aux Hollandois ; *Cap-Corſe*, aux Anglois ; *Frederiſbourg*, aux Danois.

La baſſe Guinée ou le Congo, *San-Salvador*, *Loango*, *Loando*, *Benguela*, aux Portugais.

7. La Nubie, Royaume peu connu, *Dangala*.

8. L'Ethiopie interieure, ou l'Abyſſinie a un Roi & des Peuples Chrétiens, mais infectés de diverſes erreurs.

L'Ethiopie exterieure comprend les Royaumes de *Monoemugi*, de *Monomotapa*, la *Cafrerie*, le *Zanguebar*, la côte d'*Abex*, &c.

Cap de Bonne Eſperance, aux Hollandois.

Sofala. } Aux Portugais.
Mozambique. }

Brava Rép. ſous la protection des Portugais, *Melinde*, *Magadoxo*, *Adea*, *Adel*.

AMERIQUE.

Cette vaſte Partie qui conſiſte en deux grandes preſqu'Iſles, jointes par l'Iſthme de Panama, tire ſon nom d'*Amerique Vespuce*. Florentin qui l'a découvrit l'an 1497. *Christophe Colomb*, avoit découvert dès l'an 1492, quelques Isles.

AMERIQUE SEPTENTRIONALE.

I. Le Mexique ou Nouvelle Espagne se divise en trois Audiences ou Gouvernemens.

1°. De *Guadalajara, Zacatecas, Cinaloa, Xalisco, Chiamettan.*

2°. De Mexique, *Mexico, St Jean de Ulhua, Acapulco, Mechoacan, Panuco, Antequera, Tabasco.*

La Presqu'Isle de *Yucatan*. Golfe de *Honduras, Merida.*

3°. De *Guatimala, Nicaragua, Costarica, Soconusco, Vera Pax, Chiapa.*

II. Le nouveau Mexique, *Santa Fez.*

La Californie, est une Presqu'Isle unie au Mexique.

III. La Floride, *St Augustin. St Mathieu*, aux Espagnols.

IV. Le Canada, *Tadoussac, Quebec, les trois Rivieres, Mont-réal.*

V. La Louisiane. *La nouvelle Orleans, l'Isle aux Vaisseaux, le Natchez, le Fort Louis.*

VI. Terre de Labrador, ou Canada Sauvage, vaste Pays habité par des Barbares Idolâtres & Anthropophages; les Anglois ont trois Forts & des Colonies à la Baye d'Hudson.

VII. La nouvelle Angleterre contient les Provinces qui suivent :

L'Acadie, *Port-Royal.*
La nouvelle, *Angleterre*, *Boston.*
La nouvelle *Yorck.*
Le nouveau *Jersey.*
La *Pensil vanie*, *Philadelphie.*
Le *Mariland.*
La *Virginie*, *Jamestown.*
La *Caroline*, *Charlestown.*
La Georgie.

Isles de l'Amerique Septentrionale.

1°. Isles de Terre neuve.
2°. Les Bermudes.
3°. Les Lucaies, *Guanahani*, *Anticosti*, *St Jean.*
} aux Anglois.

Cap Breton, aux François.

4°. Les Açores, *Tercera*, *Angra*, aux Portugais.

5°. Les grandes Antilles.	1 *Cuba*, *la Havane*. 2 *Porto-ricco*. Partie de St Domingue, *San-Domingo*.	aux Espagnols.

3 La *Jamaïque*, aux Anglois.
4 *St Domingue*, *Cap François*. *Jeogane*, le grand & petit *Goave*, aux François.

PETITES ANTILLES.

Aux François.	*Aux Anglois.*
St Martin.	L'Anguille.
Ste Croix.	Barbade.
Guadaloupe.	St Christophe.
Marie-Galande.	Newis.
La Martinique.	Antigoa.
Ste Lucie.	Montferrat.
La Grenade.	St Dominique.
	St Vincent.
	La Barboude.

AUX HOLLANDOIS.

St Martin, en partie.
Saba.
St Eustache.
Tabago.

Aruba, Curaçao, & Bonaire, près le Golfe de Venezuela.

Aux Espagnols.	*Aux Danois.*
La Marguerite.	Ste Croix.
La Trinité.	St Thomas.

AMERIQUE MERIDIONALE.

I. La Terre ou la Castille d'or a huit Gouvernemens.

1. Terre Ferme, *Panama*, *Porto-bello*.
2. *Carthagene.*
3. Ste *Marthe.*
4. Rio de la Hache.
5. Venezuela, *S. Jacques de Leon*, ou *Caracas.*
6. La nouvelle Andalousie, *Comana.*
7. La Guyane. Les Hollandois ont deux Colonies à *Berbice*, & à *Surinam.* Les François sont maîtres de l'Isle de *Cayenne.*
8. La nouvelle Grenade, ou le Popayan, *Santa Fé de Bagota.*

II. Le Perou a trois Gouvernemens.

1. *Qitto*, *Porto-Vejo*, *Baeça.*
2. *Lima*, *Callao*, *Arequipa*, *Truxillo.*

3. Los Charcas, *Potosi*, *Arica*, *Atacama.*

III. Le Chili a trois Gouvernemens.

1. Le Chili propre, *San-jago*, *Valparaiso*, *Copiapo*, *Baldivia.*
2. Le Gouvernement Imperial, la *Conception*, *Baldavia*, *Villa-Rica.*
3. Chicuito.

IV, Les Terres Magellaniques, vaste Pays peu connu.

V. Rio de la Plata, *Guaira*, *Santa Fez*, *Buenos-aires.*

Le Paraguai situé entre le Bresil & la Riviere de la Plata, n'est bien connu que des Peres Jésuites, qui selon leurs récits, y ont fait revivre la Foi des premiers Siécles du Christianisme.

VI. Le Bresil se divise en Capitaineries, dont les principales sont *San-Salvador*, *Tous les Saints*, *St Vincent*, *du St Esprit*, de *Rio-Janeiro*, de *Pernambouk*, *Maragnan*, *Paraiba*, &c.

VII. Le vaste Pays des Amazones, très-peu connu.

DE

DE LA CHRONOLOGIE.

281. La Chronologie eſt la ſcience des tems, elle diviſe par ordre les évenemens celebres.

Termes uſités en Chronologie.

Siécle eſt une ſuite complette de 100 années.

Luſtre eſt un eſpace de cinq ans : ce terme eſt abandonné aux Poetes ; il étoit en uſage chez les premiers Romains, parce que tous les cinq ans les Cenſeurs faiſoient la revue genérale des Citoyens & de leurs biens.

Olympiade eſt un eſpace de quatre années que les Grecs comptoient depuis une célébration des Jeux Olympiques juſqu'à l'autre : ces Jeux conſiſtoient dans des courſes & des combats La premiere Olympiade commença l'an du monde 3228 dans la Ville d'Olympie.

Ere ou *Epoque* eſt un tems fixe où certains Peuples ont commencé à compter leurs années. Il y a apparence que ce mot vient de l'ignorance des Copiſtes qui liſant AERA, *annus erat regni Augusti*, en ont fait un ſeul mot *æra*.

Il y a deux *Eres Chrétiennes*, l'*Ere vulgaire* dont Denys le Petit eſt auteur ; l'*Ere véritable* qui devance de quatre ans la premiere : ainſi cette année 1748 devroit ſe compter 1752. on ſuit ordinairement la premiere.

Les Chrétiens ſe ſervent de l'Ere de la naiſſance de J. C. ſelon laquelle ils comptent cette année 1748.

Les Juifs commencent leur époque à la création du monde.

Les Romains comptoient depuis la conſtruction de leur Ville, l'an du monde 3251.

Les Grecs partoient de l'inſtitution des Jeux Olympiques l'an du monde 3228.

Les Mahometans comptent depuis l'Hegire ou la fuite de Mahomet l'an de l'Ere vulgaire 622.

Les fautes que l'on fait contre la ſupputation des tems s'appellent *Anachroniſmes*.

Premiere diviſion des Tems.

Les Poëtes anciens diviſerent le tems en quatre âges ou ſiécles.

I. *Le Siécle d'Or.*

II. *Le Siécle d'Argent.*

III. *Le Siécle d'Airain.*

IV. *Le Siécle de Fer.*

Le premier âge designe l'innocence d'Adam & d'Eve dans le Paradis Terrestre, où ils trouvoient sans peine & sans travail ce qui leur étoit necessaire.

Le second marque les fruits de leur peché, qui fut le travail & la douleur.

L'âge d'airain représente la corruption & la malice des hommes, qui vint à un tel point que Dieu les fit perir par le deluge.

L'âge de fer marque la guerre que les hommes se firent les uns aux autres, & les suites de leur division.

Seconde division des tems selon Varron.

Varron divisa les siécles en trois parties :

I. *Tems obscur & incertain.*

II. *Tems fabuleux.*

III. *Tems historique.*

Le Tems obscur s'est écoulé depuis l'origine du genre humain jusqu'au deluge d'Ogygés l'an du monde 2208.

L'Histoire Profane n'a point d'Historien pour ces tems-là.

Le Tems fabuleux commence au deluge d'Ogygés & va jusqu'aux Olympiades, l'an du monde 3228. Tout ce que les Auteurs Prophanes nous rapportent de ces tems-là est extrêmement mêlé de fables.

Le Tems historique commence aux Olympiades l'an du monde 3228. La verité commence à se faire jour & à briller dans l'Histoire.

Troisiéme & quatriéme divisions usitées parmi les Chrétiens.

1. Le tems de l'*Ancien Testament* qui a duré 4000 ans.
2. Le tems du *Nouveau Testament* qui a duré jusqu'à-présent.

Quatriéme division.

1. Le tems de *la Loi de Nature* qui a duré 2512.
2. Le tems de *la Loi écrite* ou de *Moyse* qui a commencé l'an 2512 & a duré 1488. jusqu'à J. C. * *La Loi a été donnée par Moyse.*

* Joan. cap. 21.

3. Le tems de *la Loi de grace* qui a commencé l'an du monde 4000 & durera jusqu'à la fin des siécles. *La grace a été apportée par le Christ.**

Cinquiéme division en âges ou époques tirés de l'ancien Testament.

Le premier âge commence avec le monde & se termine au deluge, - - - 1657

Le second âge commence à la fin du deluge & se termine à l'alliance que Dieu fit avec Abraham, - - - 426

2083

Le troisiéme âge commence à Abraham & se termine à la Loi donnée après la sortie des Israelites hors de l'Egypte, - 430

2513

Le quatriéme âge commence à la Loi donnée & se termine à la Dedicace du Temple de Salomon, - - - 487

3000

* Ibid.

Le cinquiéme âge commence au Temple achevé, & se termine à la captivité des Juifs à Babylone, - - - 468

3468

Le sixiéme âge commence à la liberté accordée aux Juifs par Cyrus, & se termine à la naissance du Messie, - - 532

Années 4000

Si l'on joignoit à ces époques sacrées quelques époques civiles anciennes, on pourroit former une nouvelle division & la continuer.

Epoques Civiles celebres.

La prise de Troye, l'an du monde - - - 2820

La fondation de Rome, l'an 3250

La prise & ruine de Carthagene, l'an - - - 3802

Epoques Nouvelles.

1. Naissance de J. C. l'an - - 4000
2. Constantin ou la paix de l'Eglise, - - 312
3. Les Monarchies nouvelles, 420

4. Charlemagne ou le rétabliſſement de l'Empire en Occident, - - - 801
5. Godefroi de Bouillon, ou la Croiſade, - - 1099
6. Ottoman, ou l'Empire Turc, 1289
7. Luther & Calvin, 1517
8. Philippe V. ou la revolution d'Eſpagne. 1700

Quelques ſoins que d'habiles Chronologiſtes ſe ſoient donnés pour ranger dans un ordre methodique les faits eſſentiels de l'Hiſtoire Sacrée & Profane, il y a encore bien de l'incertitude & de l'obſcurité dans cette ſcience : l'année ſeule de la naiſſance de J. C. a produit plus de cinquante opinions. La difference qui ſe trouve entre la Bible des LXX. qui compte depuis la création juſqu'à la naiſſance d'Abraham 1500 ans de plus que la Bible Hebraïque ou la Vulgate ; la difficulté de démêler les années des Juges & les ſucceſſions des Rois de Juda & d'Iſrael ; les differens noms que les peuples donnoient à un même Prince ; la difference dans leur maniere de compter ſont autant de chefs d'erreur & de confusion qui se trouvent dans cette science.

CALCUL ECCLESIASTIQUE.

282. Les années & les mois se divisent en semaines qui est un Periode de sept jours. Dieu lui-même a établi cet ordre, il est dit que le monde ayant été créé le sixiéme jour, Dieu se reposa le septiéme. Les Anciens ont donné aux *Jours* le nom des Planetes;* mais les Latins au lieu du *jour du Soleil* disent Dimanche, *Dies Dominica*, parce que J. C. est ressuscité ce jour-là; & au lieu du jour de Saturne, ils disent Samedi jour de Sabbat, *Dies Sabbati*, en memoire du repos que l'écriture attribue à Dieu après la création. Ils se servent encore du mot de Ferie, *Feria prima, secunda*, qu'on compte de suite, excepté qu'au lieu de la premiere on dit *Dimanche*, & *Samedi* au lieu de la septiéme.

L'*Année Astronomique* est la durée exacte du tems que le Soleil emploie

* Le Dimanche portoit le nom de *Soleil*; Lundi, de la *Lune*; Mardi, de *Mars*; Mercredi, de *Mercure*; Jeudi, de *Jupiter*; Vendredi, de *Venus*; Samedi, de *Saturne*.

à parcourir l'Ecliptique qui eſt de 365 j. 5 h. 49 m.

L'*Année Civile* eſt de 365 jours, & des heures excedentes de l'Année Aſtronomique on en forme tous les quatre ans un jour qui la rend de 366 J. Cette Année ſe diviſe en *Mois* dont l'étendue eſt marquée par ces Vers.

Trente jours ont Novembre, *
Avril, Juin & Septembre,
De vingt-huit, il y en a un,
Tous les autres ont trente & un.

Février a 29 jours dans les années Biſſextiles.

Le Jour naturel eſt la durée d'une revolution du Soleil autour de la terre, ce jour ſe diviſe en 24 parties égales qu'on appelle heures.

Le Jour artificiel eſt le tems que le Soleil demeure ſur l'horizon, comme la nuit eſt le tems que le Soleil demeure ſous l'horizon.

* On peut ſe ſervir de cette methode ; on éleve les doigts de la main, à l'exception de l'*Index*, & de l'*Annulaire*, & on commence à compter *Mars* ſur le pouce ; *Avril* ſur l'Index, &c. Tous les mois qui tombent ſur les doigts élevés ont 31 jours, les autres ont 30 jours, excepté Février, qui a 28 & 29 dans les années Biſſextiles

Les Aſtronomes placent le commencement du jour à midi, & les Européens à minuit, & comptent un jour depuis minuit juſqu'au minuit ſuivant.

Les Italiens, les Chinois, les Juifs commencent le jour au coucher du Soleil, & les Grecs au lever de cet Aſtre.

Les anciens Juifs partageoient le cours du lever du Soleil juſqu'à ſon coucher en neuf parties, qu'ils appelloient premiere, troiſiéme, ſixiéme & neuviéme heure.

La premiere commençoit au lever du Soleil.

La troiſiéme à notre neuviéme heure du matin.

La ſixiéme à midi.

La neuviéme à trois heures après midi.

Dans l'Office Romain ces heures donnent leurs noms aux parties de l'Office qu'on appelle *Prime*, *Tierce*, *Sexte* & *None*.

C'eſt Jules Ceſar qui le premier a fixé l'année à 365 j. 6 heures d'où elle fut nommée *Julienne*; ainſi cette année ſurpaſſe l'année Aſtronomique de 11 minutes, il fut ordonné que des ſix heures excedentes il en ſeroit fait un jour de quatre ans en quatre ans, lequel fut inſeré le 24 de Fevrier dans le Calendrier, & comme il ſe nommoit *bis ſexto Calendas Martii*, il fut nommé *biſſextile*, & à l'honneur de Jules Ceſar le mois Quintile fut nommé *Julius* Juillet, & Sextile *Auguſtus* Août, en l'honneur d'Auguſte.

Les Romains diviſoient leurs mois en Calendes, Nones & Ides.

Les Calendes forment le premier jour de chaque mois, les Nones ſuivent au nombre de quatre ; Mars, Mai, Juillet & Octobre en ont ſix, tous ont enſuite huit Ides ſelon ces vers :

Maius ſex Nonas, October, Julius & Mars,
Quatuor at reliqui: habent Idus quilibet octo.

Dans les quatre mois où les Nones ont ſix jours, le deux du mois on dit *VI Nonas* ou *ante Nonas*, *quinto* &c. & aux autres mois on dit *IV Nonas*, enſuite on dit *VIII Idus* &c. enſuite viennent les jours qui précedent les Calendes, en nommant le mois ſuivant *XIX Calendas Augusti*, ou *XVII Calendas Octobri*.

Cette réforme de Jules Cesar fut reçue de toutes les Nations, & nous nous en servons, en y ajoutant quelques particularités ordonnées par Gregoire XIII.

CALENDRIER DE JULES CÉSAR,

Très utile pour la lecture des anciens Auteurs & encore en usage dans la Chancellerie Romaine.

JANVIER

Sous la protection de la Déesse Junon.

1	*Kal.*	Sacr. à Janus. A Junon. A Jupiter & à Esculape.
2	IV	Jour malheureux. DIES ATER.
3	III	Coucher de l'Ecreviſſe.
4	*Prid.*	
5	*Non.*	Lever de la Lyre. Coucher au ſoir de l'Aigle.
6	VIII	
7	VII	
8	VI	Sacrifice à Janus.
9	V	LES AGONALES.
10	IV	Milieu de l'Hyver.
11	III	LES CARMENTALES.
12	*Prid.*	Les Compitales.
13	*Id.*	Les Trompettes font des Purifications par la Ville en habits de Femmes.
14	XIX	JOURS VICIEUX PAR ORDONNANCE DU SENAT.
15	XVIII	A CARMENTA, porrima & Poſtuerta.
16	XVII	A la Concorde. Commencement du coucher au matin du Lion.
17	XVI	Le Soleil dans le *Verſeau.*
18	XV	
19	XIV	
20	XIII	
21	XII	
22	XI	
23	X	Coucher de la Lyre.
24	IX	Les Feſtes Sementines ou des Semailles.
25	VIII	
26	VII	
27	VI	A Caſtor & Pollux.
28	V	
29	IV	Les Equiries au Champs de Mars. Les Pacales.
30	III	Coucher de la Fidicule.
31	*Prid.*	Aux Dieux Penates.

FEVRIER

Sous la protection de Neptune.

1	*Kal.*	A Junon Sospita. A Jupiter. A Hercule. A Diane. Les Lucaries.
2	IV	
3	III	Coucher de la Lyre & du milieu du Lion.
4	*Prid.*	Coucher du Dauphin.
5	*Non.*	Lever du Verseau.
6	VIII	
7	VII	
8	VI	
9	V	Commencement du Printems.
10	IV	
11	III	Jeux Genialiques. Lever de l'Arcture.
12	*Prid.*	
13	*Id.*	A Faune & à Jupiter. Défaite & mort des Fabiens.
14	XVI	Lever du Corbeau, de la Coupe & du Serpent.
15	XV	LES LUPERCALES.
16	XIV	Le Soleil au signe des *Poissons.*
17	XIII	LES QUIRINALES.
18	XII	Les Fornacales. Les Ferales aux Dieux Manes.
19	XI	
20	X	
21	IX	A la Déesse Muta ou Larunda. Les FERALES.
22	VIII	Les Caristies.
23	VII	LES TERMINALES.
24	VI	LE REGIFUGE. Lieu du Bissexte.
25	V	Lever au soir de l'Arcture.
26	IV	
27	III	LES EQUIRIES au Champ de Mars.
28	*Prid.*	Les Tarquins vaincus.

MARS

Sous la protection de Minerve.

1	*Kal.*	Les Matronales. A Mars. Fête des Anciles.
2	VI	A Junon Lucina.
3	V	Coucher du ſecond des Poiſſons.
4	IV	
5	III	Coucher de l'Arcture. Lever du Vendangeur. Lever de l'Ecreviſſe.
6	*Prid.*	Les Veſtalines. EN CE JOUR JULES CESAR FUT CRÉE GRAND PONTIFE.
7	*Non.*	A Ve-Jupiter au bois de l'Aſyle. Lever du Pegaſe.
8	VIII	Lever de la Couronne.
9	VII	Lever de l'Orion. Lever du Poiſſon Septentrional.
10	VI	
11	V	
12	IV	
13	III	Ouverture de la Mer.
14	*Prid.*	LES EQUIRIES SECONDES SUR LE TYBRE.
15	*Id.*	A Anna Perenna. Le Parricide. Coucher du Scorpion.
16	XVII	
17	XVI	LES LIBERALES ou les Bacchanales. Les Agones. Coucher du Milan.
18	XV	Le Soleil au ſigne du *Belier*.
19	XIV	LES QUINQUATRES de Minerve pendant cinq jours.
20	XIII	
21	XII	Premier jour du ſiecle. Coucher au matin du Cheval.
22	XI	
23	X	LE TUBILUSTRE.
24	IX	
25	VIII	Les Hilaries à la Mere des Dieux. Equinoxe du Printems.
26	VII	
27	VI	EN CE JOUR CESAR SE RENDIT MAITRE D'ALEXANDRIE.
28	V	Les Megaleſiens.
29	IV	
30	III	A Janus. A la Concorde. Au Salut. A la Paix.
31	*Prid.*	A la Lune, ou à Diane ſur l'Aventin.

AVRIL

Sous la protection de la Déesse Venus.

1	*Kal.*	A Venus avec des fleurs & du Myrte. A la Fortune virile.
2	IV	Coucher des Pleyades.
3	III	
4	*Prid.*	JEUX MEGALESIENS A LA MERE DES
5	*Non.*	DIEUX pendant huit jours.
6	VIII	A la Fortune publique primigenie.
7	VII	Naissance d'Apollon & de Diane.
8	VI	Jeux pour la Victoire de Cesar. Coucher
9	V	de la Balance. Coucher d'Orion.
10	IV	Les Cereales. LES JEUX CIRCENSES.
11	III	
12	*Prid.*	La Mere des Dieux amenée à Rome JEUX EN L'HONNEUR DE CERES pendant huit jours.
13	*Id.*	A Jupiter Vainqueur & à la Liberté.
14	XVIII	
15	XVII	LES FORDICIDIES OU FORDICALES.
16	XVI	Auguste salué Empereur. Coucher des
17	XV	Hyades.
18	XIV	LES EQUIRIES AU GRAND CIRQUE. Brulement des Renards.
19	XIII	Les Cereales. Le Soleil au signe du *Taureau*.
20	XII	
21	XI	Les Palilienes ou PARILIENES. Naissance de Rome.
22	X	Les secondes Agonienes ou Agonales.
23	IX	Les premieres VINALIENES à Jupiter & à
24	VIII	Venus.
25	VII	LES ROBIGALES. Coucher du Belier. Milieu du Printems.
26	VI	Lever du Chien. Lever des Chevreaux.
27	V	Les Feries Latines au Mont-Sacré.
28	IV	LES FLORALES pendant six jours. Lever au matin de la Chevre.
29	III	Coucher au soir du Chien.
30	*Prid.*	A Vesta Palatine. Les premieres Larentales.

MAI

Sous la protection d'Apollon.

1	*Kal.*	A la bonne Déesse. Aux Lares Prestites. Jeux Floraux pendant trois jours.
2	VI	Les Compitales.
3	V	Lever du Centaure & des Hyades.
4	IV	
5	III	Lever de la Lyre.
6	*Prid.*	Coucher du milieu du Scorpion.
7	*Non.*	Lever au matin des Virgilies.
8	VIII	Lever de la Chevrette.
9	VII	LES LEMURIENES de nuit pendant trois
10	VI	jours. Les Luminaires.
11	V	Coucher d'Orion. Jour malheureux pour se marier.
12	IV	A MARS LE VENGEUR AU CIRQUE.
13	III	LES LEMURIENES. Lever des Pleyades. Commencement de l'Eté.
14	*Prid.*	A Mercure. Lever du Taureau.
15	*Id.*	A Jupiter. Fête des Marchands. Naissance
16	XVII	de Mercure. Lever de la Lyre.
17	XVI	
18	XV	
19	XIV	Le Soleil dans les *Gemeaux*.
20	XIII	
21	XII	LES AGONALES ou Agonienes de Janus.
22	XI	A Ve-Jupiter. Lever du Chien.
23	X	Les Feries de Vulcain. LES TUBILUSTRES.
24	IX	
25	VIII	A la Fortune publique. Lever de l'Aigle.
26	VII	Le second Regifuge. Coucher d'Arcture.
27	VI	Lever des Hyades.
28	V	
29	IV	
30	III	
31	*Prid.*	

JUIN

Sous la protection de Mercure.

1	*Kal.*	A Junon. A la Monnoie. A Tempesta. A Fabaria. Lever de l'Aigle.
2	IV	A Mars. A la Déesse Carna. Lever des Hyades.
3	III	A Bellone.
4	*Prid.*	A Hercule au Cirque.
5	*Non.*	A la Foi. A Jupiter Sponsor, ou au Dieu Fidius, Saint, Semipater.
6	VIII	A Vesta.
7	VII	Les jours Piscatoriens au Champ de Mars. Lever de l'Arcture.
8	VI	A L'ENTENDEMENT AU CAPITOLE.
9	V	LES VESTALIENES. Autel de Jupiter Pistor. Couronnement des Asnes.
10	IV	LES MATRALIENES de la Fortune forte. Lever au soir du Dauphin.
11	III	A la Concorde. A la Mere Matuta.
12	*Prid.*	
13	*Id.*	A Jupiter invictus. Le petit Quinquatus.
14	XVIII	Commencement de la chaleur.
15	XVII	TRANSPORT DU FUMIER DU TEMPLE DE VESTA. Lever des Hyades.
16	XVI	Lever d'Orion.
17	XV	Lever du Dauphin entier.
18	XIV	
19	XIII	A Minerve au Mont-Aventin. Le Soleil au signe de l'*Ecrevisse*.
20	XII	A Summanus. Lever du Serpentaire.
21	XI	
22	X	
23	IX	
24	VIII	A la Fortune forte. Solstice d'Eté.
25	VII	
26	VI	Lever de la Ceinture d'Orion.
27	V	A Jupiter Stator, & au Lar.
28	IV	
29	III	A Quirinus au Mont-Quirinal.
30	*Prid.*	A Hercule & aux Muses. Les Poplifuges.

QUINTILE ou JUILLET

Sous la protection de Jupiter.

1	*Kal.*	Passage d'une Maison en d'autres.
2	VI	
3	V	
4	IV	Coucher au matin de la Couronne. Lever des Hyades.
5	III	LE POPLIFUGE.
6	*Prid.*	JEUX APOLLINAIRES pendant huit jours. A la Fortune feminine.
7	*Non.*	Les Nones Caprotites. La Fête des Servantes. Disparition de Romulus.
8	VIII	La Vitulation. Coucher du milieu du Capricorne.
9	VII	Levée au soir de Cephée.
10	VI	Les Vents Ethesiens commencent à souffler.
11	V	
12	IV	NAISSANCE DE JULES CESAR.
13	III	
14	*Prid.*	A la Fortune Feminine. LE MERKATUS ou les Mercuriales pendant six jours.
15	*Id.*	A Castor & Pollux.
16	XVII	Lever de l'Avant-Chien.
17	XVI	Jour funeste de la bataille d'Allia.
18	XV	
19	XIV	Les Lucariens. Jeux pendant quatre jours.
20	XIII	JEUX POUR LA VICTOIRE DE CESAR. Le Soleil au signe du Lion.
21	XII	LES LUCARIENES.
22	XI	
23	X	JEUX DE NEPTUNE.
24	IX	
25	VIII	LES FURINALES. Jeux Circenses pendant six jours. Coucher du Verseau.
26	VII	Lever de la Canicule.
27	VI	Lever de l'Aigle.
28	V	
29	IV	
30	III	Coucher de l'Aigle.
31	*Prid.*	

SEXTILE ou AOUST

Sous la protection de la Déesse Ceres.

1	*Kal.*	A Mars. A l'Esperance.
2	IV	Feries. DE CE QUE CESAR A SUBJUGUÉ
3	III	L'ESPAGNE.
4	*Prid.*	Lever du milieu du Lion.
5	*Non.*	Au Salut au Mont-Quirinal.
6	VIII	A l'Esperance. Coucher du milieu de l'Arcture.
7	VII	Coucher du milieu du Verseau.
8	VI	Au Soleil Indigete au Mont-Quirinal.
9	V	
10	IV	A Opis & à Ceres.
11	III	A Hercule au Cirque Flaminien. Coucher de la Lyre. Commencement de l'Automne.
12	*Prid.*	Les Lignapelies.
13	*Id.*	A Diane au Bois Aricin. A Vertumne. Fête des Esclaves & des Servantes.
14	XIX	Coucher au matin du Dauphin.
15	XVIII	
16	XVII	
17	XVI	LES PORTUMNATES à Janus.
18	XV	Les Consuales. Ravissement des Sabines.
19	XIV	LES VINALES dernieres. Mort d'Auguste.
20	XIII	Coucher de la Lyre. Le Soleil au signe de la *Vierge*.
21	XII	Les Vinales Eustiques. Les grands Mysteres. LES CONSUALES.
22	XI	Lever au matin du Vendangeur.
23	X	LES VULCANALES au Cirque Flaminien.
24	IX	Les Feries de la Lune.
25	VIII	LES OPICONSIVES au Capitole.
26	VII	
27	VI	LES VOLTURNALES.
28	V	A LA VICTOIRE IN CURIA. Coucher de la Fléche. Fin des Vents Ethesiens.
26	IV	
30	III	On montre les ornemens de la Déesse Ceres.
31	*Prid.*	Lever au soir d'Andromede.

SEPTEMBRE.

Sous la protection de Vulcain.

1	*Kal.*	A Jupiter Maimactes. Fêtes à Neptune.
2	IV	A la Victoire d'Auguste. Feries.
3	III	Les Dionisiaques ou les Vendanges,
4	*Prid.*	JEUX ROMAINS pendant huit jours.
5	*Non.*	
6	VIII	A l'Erebe d'un Belier & d'une Brebis noire.
7	VII	
8	VI	
9	V	Lever de la Chevrette.
10	IV	Lever de la tête de Meduse.
11	III	Lever du milieu de la Vierge.
12	*Prid.*	Lever du milieu de l'Arcture.
13	*Id.*	A Jupiter. Dedicace du Capitole. Le clou fiché par le Preteur. Départ des Hirondelles.
14	XVIII	EPREUVE DES CHEVAUX.
15	XVII	LES GRANDS JEUX CIRCENSES, voués pendant cinq jours.
16	XVI	
17	XV	
18	XIV.	Lever au matin de l'Epy de la Vierge.
19	XIII	Le Soleil dans le signe de la *Balance.*
20	XII	LE MERKATUS pendant quatre jours. Naissance de Romule.
21	XI	
22	X	Coucher d'Argo & des Poissons.
23	IX	Jeux Circenses. NAISSANCE D'AUGUSTE. Lever au matin du Centaure.
24		
25	VIII	Equinoxe de l'Automne.
26	VII	A Venus, à Saturne, & à Mania.
	VI	
27	V	A Venus mere, à la Fortune de retour.
28	IV	Fin du lever de la Vierge.
29	III	
30	*Prid.*	Festin à Minerve. Les Meditrinales.

OCTOBRE

Sous la protection du Dieu Mars.

1	*Kal.*	
2	VI	
3	V	
4	IV	Coucher au matin du Bootes.
5	III	L'on montre les ornemens de Ceres.
6	*Prid.*	Aux Dieux Manes.
7	*Non.*	
8	VIII	Lever de l'Etoille brillante de la Cou-
9	VII	ronne.
10	VI	Les Ramales.
11	V	LES MEDITRINALES. Commencement de l'Hyver.
12	IV	LES AUGUSTALES.
13	III	LES FONTINALES. A Jupiter Liberateur.
14	*Prid.*	Jeux pendant trois jours.
15	*Id.*	Les Marchands à Mercure.
16	XVII	Jeux Populaires. Coucher d'Arcture.
17	XVI	
18	XV	A Jupiter Liberateur. Jeux.
19	XIV	L'ARMILUSTRE.
20	XIII	Le Soleil au signe du *Scorpion.*
21	XII	Jeux pendant quatre jours.
22	XI	
23	X	Au Pere Liber. Coucher du Taureau.
24	IX	
25	VIII	
26	VII	
27	VI	JEUX A LA VICTOIRE.
28	V	Les petits Mysteres. Coucher des Virgilies.
29	IV	
30	III	Les Feries de Vertumne. Jeux voués.
31	*Prid.*	Coucher d'Acture.

NOVEMBRE

Sous la protection de la Déesse Diane.

1	*Kal.*	Banquet de Jupiter. Jeux Circenses. Coucher de la tête du Taureau.
2	IV	Coucher au soir d'Arcturés.
3	III	Lever au matin de la Fidicule.
4	*Prid.*	
5	*Non.*	LES NEPTUNALES. Jeux pendant huit
6	VIII	jours.
7	VII	Montre des Ornemens.
8	VI	Lever de la Claire du Scorpion.
9	V	
10	IV	
11	III	Clotûre de la Mer. Coucher des Virgilies.
12	*Prid.*	
13	*Id.*	BANQUET COMMANDÉ; Les Lectisternies.
14	XVIII	EPREUVE DES CHEVAUX.
15	XVII	JEUX POPULAIRES AU CIRQUE, durant trois jours.
16	XVI	Fin des Semailles de Froment.
17	XV	
18	XIV	LE MERKATE durant trois jours. Le Soleil au signe du *Sagittaire*.
19	XIII	Souper des Pontifes en l'honneur de Cybele.
20	XII	Coucher des Cornes du Taureau.
21	XI	Les Liberales. Coucher au matin du Lievre.
22	X	A Pluton & à Proserpine.
23	IX	
24	VIII	Bruma ou les Brumales pendant 30 jours.
25	VII	Coucher de la Canicule.
26	VI	
27	V	Sacrifices mortuaires aux Gaulois deterés
28	IV	& aux Grecs, *in foro boario*.
29	III	
30	*Prid.*	

DECEMBRE

Sous la protection de la Déesse Vesta.

1	*Kal.*	A la Fortune Feminine.
2	IV	
3	III	
4	*Prid.*	A Minerve & à Neptune.
5	*Non.*	Les Faunales.
6	VIII	Coucher du milieu du Sagittaire.
7	VII	Lever au matin de l'Aigle.
8	VI	
9	V	A Junon Jugale.
10	IV	
11	III	LES AGONALES. Les quatorze jours Alcyoniens.
12	*Prid.*	
13	*Id.*	Les Equiries ou Course des Chevaux.
14	XIX	Les Brumales. Les Ambrosianes.
15	XXIII	LES CONSUALES. Lever au matin de l'Ecrevisse entiere.
16	XVII	
17	XVI	LES SATURNALES pendant cinq jours.
18	XV	Lever du Cigne. Le Soleil au signe du *Capricorne*.
19	XIV	LES OPALIENES.
20	XIII	Les Sagillaires pendant deux jours.
21	XII	Les Angeronales. LES DIVALES. A Hercule & à Venus, avec du vin mielé.
22	XI	Les Compitales, les Feries dediées aux Lares. Jeux.
23	X	Les Feries de Jupiter. LES LARENTINALES OU LAURENTINALES. Coucher de la Chevre.
24	IX	Les Juvenales. Jeux.
25	VIII	La fin des Brumales. Solstice d'Hyver.
26	VII	
27	VI	A Phebus pendant trois jours. Lever au matin du Dauphin.
28	V	
29	IV	Coucher au soir de l'Aigle.
30	III	Coucher au soir de la Canicule.
31	*Prid.*	

Du

Du Cycle Lunaire ou Nombre d'or.

Cycle eſt une ſuite de nombres qui ſe ſuccedent ſans interruption & qui retournant au premier gardent toujours le même ordre par une circulation perpetuelle.

On appelle *Nombre d'or*, le tems que le Soleil & la Lune emploient à revenir au même point du Zodiaque, d'où ils étoient partis. C'eſt Methon Aſtronome d'Athenes, qui trouva ce Période. Ce tems eſt de 19 ans, & cette découverte facilite la connoiſſance des nouvelles Lunes de chaque année : on n'eut point égard à la difference qui ſe trouve au bout de 19 ans, car la Lune ſe trouve précéder le Soleil, d'une heure 28 m. 15 ſ. ce qui fait en 312 ans plus d'un jour, & plus de 4 jours en 1248.

Pour trouver le Nombre d'or d'une année : 1°. Ajoutez un à l'année propoſée 2°. Diviſez la ſomme par 19. Le quotient exprimera le nombre de Périodes de 19 ans écoulés depuis J. C. & le reſtant de la diviſion marquera le Nombre d'or.

1750
1
———
1751 | 19
41 92 Périod. écoul.

Nombre d'or 3

On ajoute un, parceque la premiere année de J. C. avoit un de Cycle Lunaire.

Quand on a le Nombre d'or d'une année, on a celui de l'année ſuivante, en ajoutant un, & ainſi de ſuite.

De la réformation du Calendrier.

Il avoit été réglé au Concile de Nicée, 1°. que Pâques ſe célébreroit le premier Dimanche d'après le 14eme jour de la Lune la plus proche de l'Equinoxe, qui fut fixé au 21 Mars. 2°. Que les termes des Lunes Paſchales ſeroient depuis le 8 Mars, juſqu'au 25 Avril incluſivement, ainſi Pâques ne peut être célébrée plutôt que le lendemain de l'Equinoxe, ni plus tard que le 25 Avril.

On a ſuivi ces régles juſqu'en 1581. que Gregoire XIII. réforma deux chefs d'erreurs capitaux.

Le premier provenoit de ce que

l'année Julienne eſt plus longue que l'année ſolaire de 11 min. or ces 11 m. font un jour en 131 ans ; ainſi en 1581 l'Equinoxe étoit tellement déplacé, qu'il ſe trouvoit rétrogradé de 10 jours.

Le ſecond provenoit de ce que le nombre d'Or n'étant pas entierement exact, il ne marquoit plus les nouvelles Lunes, mais les 4emes & 5emes, & étoit en arriere de 4 jours en 1581.

Pour corriger ces erreurs le Pape ordonna que l'année 1582, après le 4 Octobre, on retranchât 10 jours, & que le lendemain 5 on comptât 15 Octobre, ce qui remit l'Equinoxe au 21 Mars ; & pour l'y conſerver il ordonna qu'on fît omiſſion de trois Biſſextiles de 400 ans en 400 ans, aux années centenaires, qui ne ſe peuvent diviſer ſans reſte par 400 : tels que 1700, 1800, 1900 : voilà ce qu'on appelle l'*Equation Solaire.*

Ceux qui n'ont pas voulu adopter cette correction, plutôt par opiniatreté que par aucune bonne raiſon, different à préſent de nous de 11 jours, parce que l'année 1700, n'a pas été Biſſextile pour nous. C'eſt ce qu'ils expliquent, en mettant dans leurs écrits *vieux & nouveau ſtyle.*

Pour corriger l'erreur cauſée par l'anticipation des nouvelles Lunes, on y ſubſtitua l'Epacte.

L'Epacte eſt l'âge de la Lune, au premier jour de l'an, qui eſt le premier Mars dans le Calcul Eccleſiaſtique, ainſi 1750, aura 22 d'Epacte, c'eſt-à-dire le premier Mars ſera le 22ᵉᵐᵉ jour de la Lune dudit mois.

Pour trouver l'Epacte, 1°. on multiplie le Nombre d'or par 11, difference de l'année Solaire de 365 jours, à l'année Lunaire de 354 jours; 2°. on ôte 11 du produit, jours réformés par Gregoire XIII. pour le Siécle 1700, juſqu'à 1800, excluſivement; 3°. Si le nombre excede 30, on en ôte 30 autant de fois qu'il eſt poſſible, le reſte eſt l'Epacte requiſe.

1750 3 Nombre d'Or.

$$\begin{array}{r} 3 \\ 11 \\ \hline 33 \\ 11 \\ \hline 22 \end{array}$$

L'Epacte ne ſe change qu'au premier Mars, quelquefois on fait le saut de la Lune, & il faut substituer 1 à l'Epacte, parce que suivant le calcul précédent on ôte 30, & il ne faudroit ôter que 29 : les 11 jours dont l'année Solaire excedent l'année Lunaire, font au bout de 3 ans, 33 jours, qui forment un mois de 30 jours, qu'on appelle *embolismique*, à cause que cette année à 13 Lunes, & dans l'espace de 19 ans, il y a 6 mois embolismiques de 30 jours, & 1 de 29, ainsi l'année Lunaire embolismique à 384 ou 383 jours.

Plusieurs Auteurs prétendent qu'il faut attribuer la Lune au mois, où elle a le plus de jours.

Pour trouver *l'âge de la Lune*, 1°. ajoûtez à l'Epacte de l'année le nombre des jours du mois, & le nombre des mois depuis Mars inclusivement ; 2°. ôtez 30, le surplus sera l'âge de la Lune, si la somme ne passe pas 30, ce nombre sera l'âge de la Lune.

1750, 15 Août, c'est le 13 de la Lune.

Ce Calcul n'est qu'un calcul d'approximation.

Comme on ôte 30 de la somme des Epactes, l'on ôte un jour de trop en

19 ans, on ajoute 12 aux Epactes; qui ont 1 de nombre d'Or.

On trouve le Cycle solaire d'une année proposée, en y ajoutant 9, parce que la premiere année de J. C. avoit 9. de Cycle solaire, 2°. en divisant la somme par 28, le reste est le Cycle solaire; s'il ne reste rien, ce sera 28.

$$\begin{array}{r|l} 1750 & \\ 9 & \\ \hline 1759 & 28 \\ \cline{2-2} 79 & 62 \end{array}$$

Cycle Solaire 23

Comme ce Cycle a une révolution de 28 ans au bout de laquelle les mêmes Lettres Dominicales reviennent, l'année 1750 est la 23eme; il s'écoulera encore 5 ans, pour achever la 63eme révolution.

288. On trouve *par quel jour commence une année*: 1°. en diminuant 1 de l'année proposée, à cause que la seconde année de l'Ere Chretienne a commencé par un Dimanche; 2°. en divisant ce nombre par 4, & ajoutant les Bissextiles à l'année; 3°. en retranchant

11 de ce nombre, ſuivant la correction Gregorienne; 4°. en diviſant par 7 qui eſt la révolution de la ſemaine : le reſtant de la diviſion indiquera le jour.

```
1750
   1
----
1749 | 4          1749
14     437         437  biſſext.
  29              ----
   1              2186
                    11
                  ----
                  2175 | 7
                    00   310
                     5
```

Ce 5 exprime que l'année commencera par un Jeudi, qui eſt le 5eme jour à compter depuis le Dimanche.

Pour trouver la *Lettre Dominicale* d'une année propoſée, obſervez 1°. que la Lettre A marque toujours le premier Janvier, B le 2, C le 3, &c. & comme ces Lettres marquent le Dimanche alternativement, on les a appellés *Lettres Dominicales*; 2°. qu'on prend deux Lettres Dominicales dans les années Biſſextiles : la premiere marque depuis le 1er Janvier, juſqu'au 24 Février; & l'autre depuis le 24 Février juſqu'à la fin.

Cherchez le jour initial de l'année & nommez sur la suite des Lettres A, B, C, D, E, F, G, en commençant par A, le jour que vous trouverez ; la Lettre sur laquelle tombera le Dimanche, sera la Lettre Dominicale.

Pour trouver la Lune Paschale & le jour de Pâques ; [selon le Concile de Nicée, on doit célébrer la Pâque le Dimanche qui suit l'Equinoxe * du Printems : si la pleine Lune arrive un Dimanche, la Fête Paschale est renvoyée au Dimanche suivant ;] cherchez l'Epacte de l'année demandée ; pour 1750 c'est 22 ; 2°. cherchez l'âge de la Lune pour le 1er Mars, & achevez la lunaison pour avoir la Lune Paschale, le Dimanche après le 14 de cette nouvelle Lune, est le jour de Pâques.

Epacte 22, 1er jour de Mars, & 1 de mois, font 24.

La Lune a donc 24 jours le 1er

* Les bornes de la Fête de Pâques, se fixent au plus bas au 22 de Mars, ce qui n'arrivera qu'en 1761, & 220 ans après, en 1981 ; & pour le plus haut au 25 Avril, ce qui est arrivé en 1734, & arrivera en 1886.

Dans le premier cas, on a 23 d'Epacte, & D pour Lettre Dominicale ; dans le second, 24 ou 25 d'Epacte, & la Lettre C.

de Mars, donc la Lunaiſon s'acheve le 6 ; Lune Paſchale le 7 ; pleine Lune le 21 Mars, & jour de Pâques le 29 Mars, Dimanche ſuivant.

Comme on n'a pas toujours un Calendrier entre les mains, on peut ſe ſervir de la Table ſuivante, dont la premiere Colomne à gauche marque les Lettres Dominicales, & la derniere à droite les Mois, & les Jours des Mois où ſe doit célébrer la Fête de Pâques ; les colomnes du milieu marques les Epactes par ordre. Pour connoître par le moyen de cette Table le jour auquel on célébrera la Fête de Pâques en 1750, cherchez l'Epacte de l'année qui eſt 22, cherchez la Lettre Dominicale qui ſera D, vis-à-vis de cette Lettre Dominicale & de cette Epacte, vous trouverez que Pâques ſe célébrera l'an 1750, le 29 Mars, &c.

TABLE
Pour trouver la Fête de Pâques.

A	23	22	21	20	19			26 Mars
	18	17	16	15	14	13	12	2 Avril
	11	10	9	8	7	6	5	9 Avril
	4	3	2	1	*	29	28	16 Avril
	27	26	25	24				23 Avril
B	23	22	21	20	19	18		27 Mars
	17	16	15	14	13	12	11	3 Avril
	10	9	8	7	6	5	4	10 Avril
	3	2	1	*	29	28	27	17 Avril
	26	25	24					24 Avril
C	23	22	21	20	19	18	17	28 Mars
	16	15	14	13	12	11	10	4 Avril
	9	8	7	6	5	4	3	11 Avril
	2	1 *	29	28	27	26	25	18 Avril
	25	24						25 Avril
D	23							22 Mars
	22	21	20	19	18	17	16	29 Mars
	15	14	13	12	11	10	9	5 Avril
	8	7	6	5	4	3	2	12 Avril
	1 *	29	28	27	26	25	24	19 Avril
E	23	22						23 Mars
	21	20	19	18	17	16	15	30 Mars
	14	13	12	11	10	9	8	6 Avril
	7	6	5	4	3	2	1	13 Avril
	*	29	28	27	26	25	24	20 Avril
F	23	22	21					24 Mars
	20	19	18	17	16	15	14	31 Mars
	13	2	11	10	9	8	7	7 Avril
	6	5	4	3	2	1	*	14 Avril
	29	28	27	26	25	24		21 Avril
G	23	22	21	20				25 Mars
	19	18	17	16	15	14	13	1 Avril
	12	1	10	9	8	7	6	8 Avril
	5	4	3	2	1	*	29	15 Avril
	28	27	16	25	24			22 Avril

DE L'INDICTION.

Comme l'Indiction est encore en usage dans nos Calendriers, & à la Cour de Rome, dans les Bulles & Rescrits Apostoliques; remarquez que c'est une révolution de 15 années qu'on trouve en ajoutant 3 à l'année proposée, parce que l'Ere Chrétienne à commencé lorsqu'on avoit 3 d'indiction, & en divisant la somme par 15

```
1750
   3
————
1753 | 15
 25   ——
 103   116 Indict. écoulées.
  13  Indiction de 1750.
```

De la Période Julienne.

Cette Période est une révolution de 7980 années, composée du produit des trois Cycles 28, 19, 15 : Jule Joseph Scaliger en est l'Auteur, elle est d'un grand usage dans la Chronologie, en ce qu'en la supposant commencée 4713, avant la naiſſance de Notre Seigneur, elle ſert à caracteriſer chaque année par ſes événemens, parce que ces mêmes Cycles ne pouvant ſe rencontrer qu'une ſeule fois en 7980, & ayant été d'uſage dans leurs calculs, elle en indique les vrais tems & réforme leurs erreurs.

Si on veut ſçavoir qu'elle année de la Période Julienne il y a 14 de Cycle ſolaire, 13 de Nombre d'or, & 4 d'Indiction : 1°. multipliez le Cycle Solaire par 4845 : le Cycle lunaire ou Nombre d'Or par 4200, & l'Indiction par 6916.

2°. Ajoutez les trois produits.

3°. Diviſez la ſomme par 7980, le reſte ſans s'embarraſſer du quotient, ſera l'année cherchée : on trouvera que c'eſt à l'année 6454 de la Période, que ces Cycles répondent, j'en ôte 4713 années de la Période qui ſont avant la naiſſance de J. C. il reſte 1741, qui eſt l'année cherchée.

Pour ſçavoir a qu'elle année de la Période répond une année propoſée, il faut chercher ces trois Cycles, & puis on operera comme deſſus.

Pour ſçavoir a qu'elle année de

Notre Seigneur, répond une année de la Période Julienne, si elle passe passe 4713, ôtez cette somme, le reste sera l'année cherchée, si elle ne passe point 4713, ôtez l'année proposé de cette somme, le reste sera la quantité des années avant la naissance de J. C.

Le P. Jean Louis d'Amiens Capucin, ayant remarqué que la Période Julienne, ne pouvoit être d'aucun usage pour ceux qui comptent plus de 4713, depuis la création jusqu'au Messie, à inventé la *Période Louise*, à l'honneur du siécle de Louis le Grand : cette Période multiplie les Cycles Solaires & Lunaires par 30, ce qui produit 15960. L'Ere vulgaire se rencontre l'an 7373. Si un fait est datté de la Période Louise 6359, ôtant cette somme de 7373, le reste 1014 fait connoître que le fait est arrivé 1014 ans avant J. C. mais il faudroit un nouveau Scaliger pour la faire valoir.

FIN.

On trouvera le Privilege à la fin du du Manuel Philosophique.

Imprimé en France
FROC021706180919
22190FR00008B/284/P

9 782329 322926